RICARDO BELLINO

NINGUÉM É F#DIDO POR ACASO

NINGUÉM
É F#DIDO
POR ACASO

RICARDO BELLINO

2019

Ninguém é fodido por acaso
2ª edição: Julho 2019
Direitos reservados desta edição: CDG Edições e Publicações

*O conteúdo desta obra é de total responsabilidade do autor
e não reflete necessariamente a opinião da editora.*

Autor:
Ricardo Bellino

Preparação de texto:
Lúcia Brito

Revisão:
3GB Consulting

Projeto gráfico:
Dharana Rivas

DADOS INTERNACIONAIS DE CATALOGAÇÃO NA PUBLICAÇÃO (CIP)

B444n   Bellino, Ricardo.
         Ninguém é fodido por acaso / Ricardo Bellino. – Porto Alegre:
         CDG, 2019.
         176 p.
         ISBN: 978-85-68014-82-0
         1. Desenvolvimento pessoal. 2. Motivação. 3. Sucesso pessoal.
         4. Autoajuda. I. Título.

                                                              CDD - 131.3

Produção editorial e distribuição:

CITADEL
Grupo Editorial

contato@citadeleditora.com.br
www.citadeleditora.com.br

SE LIGA!

Para mim, *fudido* e **fodido**
<u>não são a mesma coisa</u>.

Ser **fodido** é ser foda.
Não tem nada a ver com foder.
É algo irado para caralh@! É poderoso!
Já *fudido* é completamente o contrário, p#rra!
Não tem nenhum significado fodástico.

Então decidi escrever este livro para
demonstrar o poder que uma simples letra,
neste caso a troca do "u" pelo "o",
pode ter na vida das pessoas.

Este livro contém tecnologia de Realidade Aumentada
desenvolvida por **www.massfar.com**

Páginas com Realidade Aumentada:
11, 35, 55, 67, 91, 117, 131, 139 e 155

SUMÁRIO

Prefácio **por Janguiê Diniz**	11
Introdução	13
Prazer, sou o fudidômetro	21
Fudidômetro	25
1. Acho que não vai rolar	**35**
Aprenda sozinho	39
Midas X Sadim	41
2. O impossível não existe	**55**
A maior mentira do mundo	62
3. A lei dos seis graus	**67**
Dez práticas para um *networking* eficaz	76
Cinco anos em uma hora: o poder de aprender com os outros	76
Mais do que contatos, tenha amigos engajados	80
Não seja arrogante	86

4. Tenha foco: a lei dos três minutos 91
    Perguntas para saber se você é um *full of shit* 102
    O poder do entusiasmo 110

5. Ninguém vai acreditar se você não acreditar primeiro
    No pain, no game 124

6. Não desista na primeira crítica 131

7. Corra riscos 139
    Transforme o "não" em "por que não?" 142
    Acredite na sua intuição 144

8. Se você acha que vai dar errado, mude o rumo 155
    O plano B de hoje pode ser o plano A de amanhã 161

Conclusão 167

PREFÁCIO
POR JANGUIÊ DINIZ

ASSISTA UM VÍDEO DO
JANGUIÊ DINIZ

1. Baixe o App ZAPPAR
2. Aponte para a página

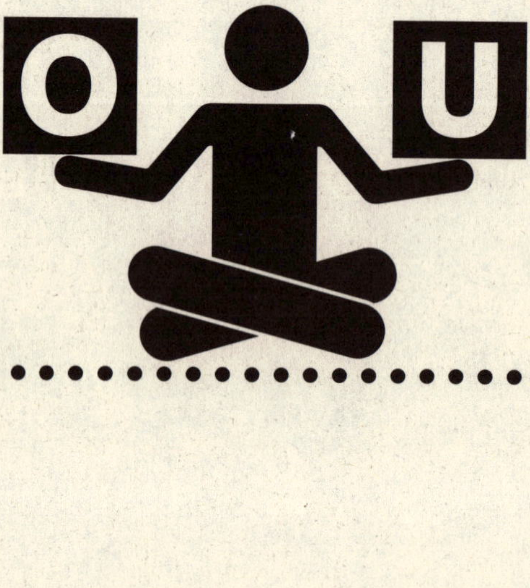
O
U

SER "FODIDO" OU NÃO SER "*FUDIDO*",
EIS A QUESTÃO?!

Como bem diz o meu amigo Ricardo Bellino, autor desta obra, o sucesso não acontece por acaso. Na escola da vida que cursamos juntos, aprendemos que o fracasso também não acontece por acaso, não é mesmo?

Quase poderia defender a tese de que para atingir o fracasso uma pessoa gasta a mesma (ou uma maior) quantidade de energia (neste caso negativa) do que se assumisse uma atitude mental positiva de quem procura o sucesso. Não estou falando aqui de um sucesso efêmero, que busca o enriquecimento rápido, mas aquele sucesso que se manifesta nas pessoas que buscam prioritariamente a sua realização e que antes mesmo de encontrar os milhões na conta bancária, encontraram no entusiasmo a motivação para superar todos os obstáculos que a vida e o mundo dos negócios certamente apresentaram em seus caminhos na real busca da felicidade.

Aprendemos, a um custo alto, que o sucesso sem felicidade é apenas ganância e nos transforma em pessoas avarentas; agora, quando priorizamos a nossa felicidade e a daqueles que nos apoiam, especialmente em nossos momentos de dificuldade e superação de desafios, encontramos a verdadeira prosperidade. O dinheiro e a riqueza acumulados são consequências e resultado de uma jornada pavimentada pela ética e compromisso de não apenas deixar uma herança material para os nossos herdeiros diretos, mas um legado que irá inspirar milhares de pessoas pela herança de uma biografia que nos tornará imortais pela missão de fazer alguém acreditar que pode, sim, contrariar o seu destino e se permitir acreditar em um sonho grande, para ser vivido de olhos bem abertos.

O verdadeiro sucesso se manifesta a partir das escolhas que fazemos e do preço que estivermos dispostos a pagar para trocar uma pequena letra, que pode fazer uma grande diferença em você ser um **fodido** ou um *fudido* na vida.

– **Janguiê Diniz**
Mestre e doutor em Direito
e empreendedor

INTRODUÇÃO

MERDA, FODA, *FUDIDO* OU FODIDO
SÃO PALAVRAS PROIBIDAS PARA VOCÊ?

Socialmente, ainda que tão repetidas, continuam tabu. Agora, o que você talvez não saiba é que elas podem ser gatilhos para demonstrar aquilo que uma pessoa deseja ou, melhor, para desencadear relações, atitudes e até mesmo fechar uma negociação que dificilmente se concretizaria com uma conversa politicamente correta.

COSTUMO DIZER QUE, SE O CORPO FALA, O PALAVRÃO GRITA.

A ciência comprova. Segundo pesquisas recentes, o palavrão nasce no sistema límbico, a parte do cérebro mais primitiva e parecida com o cérebro dos animais. Portanto, normalmente o palavrão não é planejado, mas sim um impulso. E se você for capaz de controlar isso minimamente e usar a seu favor?

O psicólogo Timothy Jay, da Faculdade de Artes Liberais de Massachusetts, disse para a revista americana *New Scientist*: "Num vestiário masculino, por exemplo, quem não xinga é o 'panaca'". Entenda panaca por *fudido*. Pronto, chegamos aonde eu queria!

Você vai aprender neste livro que suas atitudes – como não falar palavrão, por exemplo, porque tem medo de não ser aceito – falam por você, muito mais do que imagina. Falar ou acreditar em algo não tem efeito algum se sua atitude é diferente daquilo. E pior: normalmente a não atitude, ou seja, não fazer nada mesmo, é o caminho que a maioria segue.

Querido leitor, se isso lhe parece familiar,
você já é um *fudido* e nem sabia.
Que merda, não é mesmo?!
Mas calma, vamos resolver isso aqui.

Espero que você não se ofenda com algumas expressões ou opiniões que expressarei neste livro. Só quero mostrar o que você insiste em não ver: suas atitudes de *fudido* precisam mudar. Uma letra faz toda a diferença.

TRANSFORME-SE DE *FUDIDO* EM FODIDO.

Parece impossível hoje. Você deve estar pensando: "Claro, com o dinheiro e credibilidade que um **fodido** tem, é fácil conseguir as coisas". Mas todo **fodido** saiu de algum lugar, e muitos deles já foram *fudidos* também. Nós só olhamos os êxitos, mas não olhamos o quanto o **fodido** suou para chegar lá. Pode saber que, antes de ser um **fodido**, ele se fodeu muito!

TODO HOMEM É CULPADO POR AQUILO QUE NÃO FEZ.

Voltaire disse isso. Pense em tudo o que poderia ter realizado, mas não realizou – o famoso "e se". E se eu tivesse aceitado aquela oportunidade, e se eu tivesse apostado naquele sonho, e se eu tivesse ido àquela reunião. Esse é um pensamento que deve estar dentro de você o tempo todo. A inquietude é o que nos move, e precisamos desse cutucão constante em nossa cabeça para não deixar as oportunidades desaparecerem. Infelizmente, é muito mais fácil ficar parado, não fazer nada, não tomar uma atitude. Mas, quando paramos para pensar, fica claro que as chances da vida não vêm até nós, nós é que as construímos.

De certa maneira, tudo o que fazemos age ou reage de alguma forma para que algo aconteça. Se ficarmos parados, nada vai acontecer. É preciso movimentar, refazer, recomeçar, reorganizar, bagunçar para depois arrumar, desmontar para depois construir outra vez. Precisamos constantemente de impulsos para fazer e refazer coisas. Esse impulso precisa vir de dentro.

NÃO ESPERE UMA ATITUDE EXTERNA PARA MUDAR.

SEJA VOCÊ O FATOR COMPLICADOR, O AGENTE DAS SUAS MUDANÇAS.

Claro, essa visão não surge da noite para o dia. Algumas pessoas têm isso em sua natureza, têm a genética ou qualquer outra função nata que as faz pensar assim sempre. Para outras, isso é um processo que precisa ser aprendido. Parece complicado, mas é mais simples do que a maioria pensa. Existe um método. Essa é a boa notícia, e, a partir das minhas experiências e treinamentos, vou mostrar como estruturar esse pensamento.

É hora de entender o processo, desconstruir seu caminho de *fudido* e assumir o controle. Mas já adianto: isso é para quem quer. Não tenho tempo a perder com *fudidos* que não querem mudar. Se estiver disposto a mudar, siga a leitura, e estarei com você. Agora, se for para seguir com atitudes de um *fudido*, não perca seu tempo – nem o meu. Nos vemos a partir dos próximos capítulos, prontos para alterar não só uma letra, mas também toda a sua trajetória.

PRAZER, SOU O FUDIDÔMETRO

O PRIMEIRO PASSO PARA COMEÇAR A MUDAR A VIDA – DEIXAR DE SER UM *FUDIDO* PARA SER UM **FODIDO** – É A **AUTOAVALIAÇÃO.**

A opinião dos outros é importante, mas desde que você saiba quem é e onde está. Quais os seus objetivos? Onde você está? Aonde pretende chegar? Quais as armas que tem? – se é que tem alguma. Se não tem, onde conseguirá? Em quanto tempo?

Para começar a responder essas questões, precisamos entender o quão *fudido* você está. Temos aqui um sistema para medir isso, o fudidômetro. Ele vai apresentar, ao fim de algumas perguntas, o seu nível de *fudido*. Importante: o seu nível é um estado, ou seja, pode mudar. Pode ser pouco *fudido* hoje, mas muito *fudido* em poucos meses. Assim como pode ser um total *fudido* hoje e passar a pouco *fudido* em alguns dias. Perceba que, em quase todos os casos, um olhar diferente ou uma mudança de postura podem transformá-lo de um *fudido* em um **fodido**.

Assim como só uma letrinha fazem toda a diferença, você vai aprender aqui que uma atitude, um olhar ou uma aposta podem mudar tudo. Responda sim ou não para estas 14 perguntas. Qualquer semelhança não é mera coincidência. Se você se identifica com essas atitudes, visões e reações, está na hora de mudar, *fudido*. Vamos lá!

FUDIDÔMETRO

FAÇA O TESTE A SEGUIR!
E mande esse link para seus amigos também fazerem!

www.fudidometro.com.br

+7

6 - 7

3 - 4

1 - 2

1. Você já teve uma ideia que lhe pareceu brilhante (normalmente elas surgem quando estamos prestes a dormir ou no banheiro), mas em seguida pensou "acho que não vai rolar" e desistiu instantaneamente?

○ **SIM**   ○ **NÃO**

2. Falou repetidas vezes para si mesmo ou para pessoas próximas que precisava resolver algo importante, mas nunca resolveu?

○ **SIM**   ○ **NÃO**

3. Já ouviu alguém contando sobre um empreendimento, uma ideia, investimento ou qualquer coisa parecida (normalmente algo que você não domina e do qual não conhece quase nada) e, assim que a pessoa terminou de contar com todo o entusiasmo, você falou ou pensou "ah, isso é impossível"?

○ **SIM**   ○ **NÃO**

4. Em uma situação não planejada, teve a oportunidade de falar com alguém que poderia ser um excelente contato profissional ou pessoal (normalmente, uma pessoa que você admira ou julga bem-sucedida), mas não falou por achar que não era bom o suficiente?

○ **SIM**   ○ **NÃO**

5. Já teve vontade de ser alguma coisa ou aprender algo, mas, quando percebeu que era impossível ter um professor ou alguém que já tivesse feito o caminho para imitar ou seguir, desistiu?

◯ SIM   ◯ NÃO

6. Já escolheu um caminho apenas porque, em um primeiro momento, parecia mais seguro, estável, com menos riscos de dar errado, mesmo sabendo que ali não teria tanta satisfação ou, pior, que não era exatamente o que você queria?

◯ SIM   ◯ NÃO

7. Já teve uma grande oportunidade (pode ser uma apresentação no trabalho ou um momento com a pessoa em quem estava interessado emocionalmente), mas, por medo de não ter tempo suficiente para contar tudo o que tinha de bom – ou seja, o quão **fodido** você é –, deixou de lado, desistiu e achou melhor não arriscar?

◯ SIM   ◯ NÃO

8. Mesmo depois de anos exercendo um trabalho ou função, desenvolvendo um projeto ou melhorando uma coisa, a primeira crítica recebida o fez acreditar que tudo o que estava feito era uma porcaria, e abandonou aquilo sem mais nem menos? (Outra vez, pode ser sua carreira profissional de 20 anos ou a nova decoração da sala, não importa, o que conta é a atitude errada.)

◯ SIM   ◯ NÃO

9. Você cometeu uma grande cagada. Não dava para arrumar (acredite, todo mundo já fez isso ao menos uma vez na vida). E se viu, mesmo que por um curto tempo, sem uma saída estratégica ou atividade paralela, pois não elaborou um plano B?

◯ **SIM**   ◯ **NÃO**

10. Vislumbrou alguma oportunidade ou chance de crescimento muito perto de você, mas, ao calcular a probabilidade, considerou pequena? Aí, algum tempo depois (obviamente você não fez nada para melhorar essa porcentagem, ficou sentado na cadeira, enquanto a única coisa que crescia era seu tédio), alguém menos preparado do que você – mas com coragem e persistência maiores – fez aquilo acontecer, fez dar certo e o deixou para trás?

◯ **SIM**   ◯ **NÃO**

11. Já teve a oportunidade de exercer uma nova função, totalmente diferente da sua área de formação ou do que domina, mas não aceitou ou não tentou porque pensou que não seria capaz de exercê-la ou, pior, que outra pessoa próxima poderia fazer melhor, e, ao se comparar, não foi atrás?

◯ **SIM**   ◯ **NÃO**

12. Já deixou para depois a resolução de um problema que parecia pequeno, mas, com o passar do tempo – porque deixar para resolver amanhã na verdade nunca é amanhã mesmo, e, sem planejamento, o problema se estende por semanas, meses ou anos –, o tal pequeno problema virou uma coisa enorme, quase impossível de se resolver, e então pensou "ah, se eu tivesse feito isso lá atrás"?

◯ SIM   ◯ NÃO

13. Não consegue, nem por um mês sequer, controlar sua vida financeira? Não estou falando em gerir fortunas, fazer investimentos ou poupar dinheiro. Estou falando em não saber sequer quanto ganha nem quanto gasta e, ao fim do mês, ter aquele mini-infarto quando passa o cartão de crédito e não sabe se a transação será autorizada ou não.

◯ SIM   ◯ NÃO

14. Não fala palavrão (claro que em algumas situações você não deve falar mesmo, mas estou pensando aqui em situações em que é socialmente aceito, como já falamos) porque tem medo de se expor, do que vão pensar, enfim, não se garante em uma simples conversa?

◯ SIM   ◯ NÃO

Sim para 1 ou 2 perguntas.
VAI SE FODER EM BREVE.

Olha, você está a um passo de se foder. Poderia ser pior, mas é hora de ligar o alerta. Quem o ama até dá uma segunda chance e vê algum potencial, mas normalmente você escuta "Fulano até tem qualidades, mas parece que nunca vai para a frente". Já as pessoas a sua volta – as conhecidas e não tão próximas – estão com as expectativas baixas e não o veem com muitas possibilidades de dar certo. A sua marca é a grande chance de fazer as coisas não acontecerem. Lembre-se: o fracasso chega muito mais rápido do que o sucesso. Mas fique calmo. Por incrível que pareça, o seu caso é o mais fácil de solucionar. Uma pequena mudança de postura pode fazer toda a diferença. Para começar a mudar isso agora mesmo, leia primeiro os capítulos 1 e 8.

Sim para 3 ou 4 perguntas.
POUCO *FUDIDO*.

Amigo, pode até parecer que não, mas você já está com sérios problemas. As pessoas desconfiam de suas propostas, não apostam muito no que fala, e o seu pessimismo torna sua visão muito limitada. Possivelmente, algum projeto seu já fracassou, e você não soube lidar com isso ou tomou uma atitude que não produziu efeito algum. Mas, assim como no caso acima, não se desespere – ainda. Ferramentas básicas serão suficientes para mudar suas ações, pensamentos e posturas. Leia os capítulos 1, 3, 5 e 8.

Sim para 5 perguntas.

FUDIDO.

É, a coisa está complicada. Todo mundo acha que os seus projetos não funcionam. No trabalho, é só mais um, e não tem perspectivas de promoção, novas áreas de atuação ou crescimento. Não tem objetivos concretos e não conhece pessoas que possam mudar sua trajetória. Quando pensa em construir alguma coisa, sente-se inseguro e se preocupa com a opinião dos outros. Esse medo faz você parecer displicente ou um funcionário sem atitude. Tem uma visão pessimista de tudo e de todos e passa a ideia de que se empenha pouco, mesmo quando trabalha bastante. Calma: nem tudo está perdido. O primeiro passo é mudar sua visão. Não dá para colocar em prática imediatamente, pois sua atitude primitiva precisa mudar. Leia os capítulos 1, 2, 4 e 8.

Sim para 6 ou 7 perguntas.

MUITO *FUDIDO*.

Olha, os problemas são grandes, e você depende de uma mudança completa. As pessoas ao redor não contam com você para resolver problemas. Sua capacidade de visão está muito debilitada, não consegue encontrar soluções rápidas, ou, pior, quando encontra, está desacreditado. Sempre fala coisas negativas e fica parecendo o portador oficial de más notícias. Seus resultados estão baixos. É o típico pessimista. Vai dar mais trabalho, e exigirei um esforço maior da sua parte para mudar. Além de andar na direção contrária, você vai ter que se empenhar um pouco mais para mudar a visão das outras pessoas a seu respeito. A primeira coisa é acreditar em si. Comece agora lendo a partir do capítulo 4.

Sim para mais de 7 perguntas.
FUDIDO TOTAL.

Este livro é para você, o *fudido* clássico! Está além de um pessimista, sempre vê o copo meio vazio. Esse tipo de visão atrai problemas, então possivelmente muitos dos seus projetos não funcionaram. Sua rede de contatos é muito limitada ou defasada, já que sua postura não atrai novos contatos. Sua visão o fechou em um circuito que não se renova, e você não se surpreende mais com suas conquistas. Não sabe o que são objetivos faz tempo. Está em um trabalho pouco motivador, mas também não se esforça para melhorar, mudar ou encontrar um novo desafio. Talvez já tenha perdido muitas oportunidades interessantes de trabalho simplesmente porque não tentou ou não acreditou ser capaz. Vai dar trabalho. Precisa mudar tudo. É agora ou nunca. Bem-vindo, *fudido*. Não tem outra saída: ou você muda, ou muda. Comece já sua leitura desde o início e dê atenção especial aos capítulos 2, 5 e 7. Não desista! Agora é a hora da virada. Quando você está no fundo do poço, a única vantagem é que só tem uma direção possível: para cima.

Melhor você tentar algo, ver a coisa não funcionar e aprender com isso do que não fazer nada.

– Mark Zuckerberg

CAPÍTULO 1

ACHO QUE NÃO VAI ROLAR

ASSISTA UM VÍDEO DO RICARDO BELLINO

1. Baixe o App ZAPPAR
2. Aponte para a página

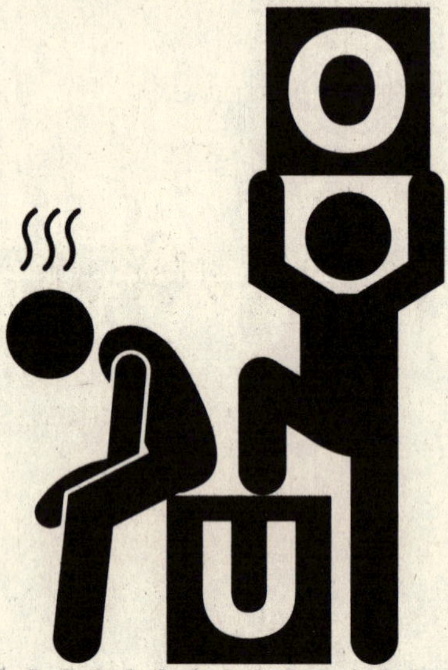
O
U

A VERDADE É QUE
A MAIORIA DAS
PESSOAS SÃO
COVARDES
E INSEGURAS.

Elas têm medo, e esse medo as paralisa e impede de desenvolver seu potencial. Vou lhe contar uma história curiosa. Acho que tem a ver com uma coisa que chamo de autoestima. Ela é fundamental. Criar uma musculatura emocional é fundamental para sobreviver. Assim como o corpo com um pouco mais de massa muscular aguentará uma atividade mais intensa como uma corrida ou levantamento de peso, por exemplo, o emocional mais preparado também será capaz de lidar com as adversidades de maneira mais adequada. Apanhar e continuar. Você vai apanhar repetidas vezes – e é crucial saber lidar com isso.

    É importante não confundir autoestima com egocentrismo. Há uma diferença; ela é sutil, mas o resultado é totalmente oposto.

IMPORTANTE: não tenho nada contra o ego, acho que ter ego faz parte. Acho importante em certa medida, no equilíbrio. Mas autoestima é uma coisa muito mais profunda, mais sincera e mais difícil de alcançar. O ego é mais superficial, passageiro, e se manifesta facilmente. Atinja seu primeiro objetivo, aquele diário, e veja como o ego infla no mesmo instante. É uma coisa de exibicionismo, autoafirmação. Mas o ego pode ser um excelente aliado para a autoestima e também para alcançar objetivos. Como eu disse, ele é importante, mas na medida certa.

Autoestima é uma convicção. Quando jovem – muito jovem –, eu era tímido. E aconteceu um fato engraçado em minha vida. Um verdadeiro *tipping point*. Eu ia para as festinhas dos meus amigos, festinhas dançantes, balada. Eu tinha uns 14, 15 anos de idade. Sempre tive o defeito de pensar grande; então, eu ia à festinha e pedia para dançar com a menina mais bonita. Aquela em que todos estavam de olho. Como eu era o mais feio da classe, óbvio que escutava um sonoro "não" logo de cara. Era sempre assim! E aquilo me deprimia tremendamente. Até que dei um basta: "Não vou mais convidar ninguém para dançar".

A vergonha era tamanha que eu não sabia nem o que fazer até a hora em que meus pais me buscavam. Totalmente deslocado, passei a ficar ao lado da equipe de som, em uma tentativa desesperada de não ficar sozinho, isolado, enquanto todos se divertiam. Apesar de tímido (na verdade acho que era mais insegurança do que timidez, mas enfim), sempre gostei de conversar. Um dia puxei assunto com o DJ. Cheio de coisas para fazer e com um menino que não parava de falar, ele disse: "Me ajuda aqui, pega os discos, me ajuda com a luz, com a mesa de som". Para resumir a história: rapidamente me tornei sócio da equipe de som. Como eu gostava muito de música e passava horas mixando, fazia aquilo bem e conseguia criar uma espécie de entretenimento nas festas. Nos refrões, eu abaixava o volume da música, as pessoas cantavam e aí ficavam eufóricas – e eu realmente comandava o show.

Aprendi a primeira lição da escola da vida: as meninas não estavam nem aí para beleza, mas se importavam com o *status*. Então criei esse magnetismo com elas – ligeiramente machista, é verdade, mas diz muito sobre as relações e percepções humanas. Foi muito divertido. E consegui resgatar ou criar a autoestima, descobri que eu podia, SIM, ter o controle da situação. Autoestima é saber que você tem o controle da situação. Que você pode, se quiser. Tive que dar um jeito de superar o meu problema. Acabei aceitando que eu tinha de transformar meus defeitos em virtudes. Ou pelo menos ser visto de outro modo.

Aprenda sozinho

Essa historinha adolescente mostra como é possível, na prática, utilizar a autoestima para alcançar objetivos. Mas tem outra lição importante embutida aí: nem sempre você terá um professor para ensiná-lo. Precisei, ainda que meio ao acaso, é verdade, aprender sozinho. Gostava de música, mas tive que aprender sozinho a mixar, criar o entretenimento. Claro que você pode se espelhar em outras pessoas – assim como eu olhei aquele DJ no início e continuei trabalhando com ele. Dediquei um tempo para aprender. Aprender é fazer repetidas vezes até ficar bom ou minimamente aceitável. Gerar experiência.

Fiz um programa audiovisual em Harvard chamado *Launching New Ventures*, convidado pela diretoria da universidade. Um dos cursos da instituição estava comemorando cem anos. Gravamos um programa de TV sobre o curso, contei os bastidores, mas principalmente conversei com os professores. Tudo muito interessante, o mais alto nível educacional do mundo, mas preciso destacar o seguinte: o que mais levei de experiência, de bagagem daquela vivência, foram as relações que fiz "atrás do quadro-negro" com os oitenta professores do curso com quem mantive contato. Me desculpe, mas aquilo que eles desenhavam na lousa não me convenceu, não me acrescentou, porque não era prático, não tinha vida. Era a teoria pela teoria.

A experiência foi boa, gostei. Eu tenho lá meu quadro, tenho o diploma de Harvard, bonito, pendurado na parede, e claro que isso me acrescenta algo. Mas o que quero dizer é que ninguém ali, em nenhum momento, durante quase uma semana, falou de pessoas. Ninguém falou dos conflitos inerentes aos humanos.

Somos seres que vivem em conflito o tempo todo. Primeiro conosco. Depois com os outros. "Ah, aquele cara vai me sacanear, então não vou fazer negócio", "esse sujeito está com ciúme", "esse camarada está querendo tirar proveito de mim". Isso vai minando suas ações, bloqueando suas atitudes, você começa a criar adversidades que nem existem. Você cria na sua mente e vira realidade, porque tudo o que você pensa se transforma em realidade. Você cria uma opinião sobre alguém sem sequer ter deixado a pessoa se explicar. Já condenou sem direito de resposta, sem direito de defesa. Mas o pior de tudo: você se condena sem tentar.

Naqueles longos dias em Harvard, com milhares de horas de estudo acumuladas, diplomas e tudo mais, ninguém parou para colocar algo em prática efetivamente, para aprender fazendo. Quando eu falo em aprender sozinho, na verdade a ideia é aprender na prática, aprender fazendo, não ficar só na teoria.

Midas X Sadim

Você já ouviu falar em Sadim? Nada mais é do que Midas escrito ao contrário. Vamos falar um pouco de mitologia. Bastante conhecido tanto na história grega quanto na romana, o Rei Midas na verdade é uma alusão à ganância humana, difundida a partir de atividades nem sempre muito politicamente corretas de nosso querido soberano, como veremos a seguir.

Segundo a história, o pai de Midas, o camponês Górdio, tornou-se rei da Frígia em cumprimento a uma profecia. O oráculo local previra que, após a morte do último governante frígio, o sucessor chegaria de carroça, vindo de uma terra distante. Quando Górdio chegou de carroça com a mulher e o filho pequeno, a população o saudou como seu novo soberano. Com a morte de Górdio, Midas assumiu o trono.

Em um dia comum de reinado, Midas foi visitado por alguns camponeses que acompanhavam um velho encontrado em uma estrada próxima. O rei precisou analisar aquele idoso bêbado e maltrapilho por alguns minutos até finalmente reconhecê-lo: era Sileno, pai de criação de Baco, o deus do vinho. Cuidado, devidamente alimentado e saudável, Sileno foi levado a seu filho, com grande alegria, por Midas. Sem saber como agradecer, o deus do vinho disse que atenderia qualquer desejo do rei. Poderia pedir qualquer coisa. Midas, cheio de ganância, pediu a capacidade de transformar em ouro tudo o que tocasse. E assim lhe foi concedido por Baco.

Midas voltou para casa maravilhado com o novo poder. Ordenou aos criados que servissem um banquete de comemoração. Ao tocar o primeiro alimento, este se transformou no metal precioso. Ao pegar a taça de vinho e tocá-la com os lábios, a bebida se transformou em ouro líquido. Midas ficou desesperado. Sua filha, Phoebe, se aproximou e, ao tocá-lo, transformou-se em uma estátua de ouro.

Percebendo a burrice que havia feito após perder a filha, Midas fez uma prece sincera e encarecida a Baco, suplicando que o livrasse daquele poder. Na verdade, o rei se deu conta de que aquilo era não um poder, mas uma maldição. Baco teve misericórdia do pobre mortal ganancioso e ordenou a Midas que se banhasse no rio Pactolo. A maldição foi transmitida ao rio, cuja água imediatamente se tornou dourada. Midas passou o resto dos seus dias longe das cidades, levando uma vida mais simples e menos gananciosa.

Sadim é o oposto de Midas. O rei frígio transformava tudo o que tocava em ouro. Sadim, por sua vez, estraga tudo o que toca. É um verdadeiro *fudido*! Colocou a mão, a coisa desanda.

Agora chegamos aonde eu queria: há uma patologia "sadinística" nas pessoas. O meu querido amigo Içami Tiba – um conhecido psiquiatra brasileiro, professor, palestrante e escritor de livros sobre educação, família e desenvolvimento pessoal – compartilhava dessa teoria comigo. A personalidade, a baixa autoestima e o pessimismo desse tipo de ser humano fazem com se torne uma máquina de eliminação em massa. Pessoas motivadas por inveja, ciúme e ganância destroem a vida e os projetos dos outros só pelo prazer de ver o sonho alheio ser destruído. Na sua insignificância, o Sadim não tem sonho, não acredita em sonhos, é um frustrado e, para se sentir menos inferior, busca a todo momento colocar o outro para baixo, frustrar suas expectativas, seus objetivos.

Todo ser humano é uma complexa mistura de emoções e sentimentos, uma combinação de elementos positivos e de outros não tão positivos, e o Sadim não é exceção. Sua recusa em admitir isso é tão poderosa que ele acaba se deixando conduzir por um incontrolável impulso de projetar nos outros as características que não consegue reconhecer em si – é a única forma que conhece de sentir-se um pouco melhor consigo mesmo. Esse comportamento faz com que ele seja visto quase como uma caricatura da vaidade humana em seu aspecto mais extremo.

A arrogância, a mesquinhez e o egoísmo transparecem sem qualquer filtro no Sadim, pois autocrítica, equilíbrio e bom senso não podem ser cultivados por uma pessoa que se recusa a enxergar as próprias falhas. É fácil observar elementos comuns ao Sadim e ao sujeito *fudido*. Vejamos alguns:

O ESPELHO MÁGICO – Assim como a madrasta malvada da história da Branca de Neve, o Sadim também tem um espelho especial que mostra apenas o que ele quer ver. Como resultado dessa distorção, ele vê sua arrogância como magnanimidade, sua mesquinhez como generosidade, seu rancor como justiça, sua incompetência como culpa dos outros, e assim por diante.

OS BOBOS DA CORTE – Para que o espelho mágico seja ainda mais eficaz, o Sadim procura se cercar de um séquito de bajuladores cujo grau de competência é medido pela maestria na arte de puxar o saco. Se você já teve um chefe Sadim, deve ter percebido que esse tipo sempre coloca membros de seu séquito nas posições-chave – mesmo à custa da saúde e da lucratividade da empresa. É claro que o chefe Sadim diz que as escolhas se baseiam na competência, mas qualquer um (menos ele) pode ver que o critério principal, se não único, é fortalecer sua posição e seu ego. Os bajuladores nunca questionam nem desafiam a pretensa competência do Sadim, já que isso é algo que eles mesmos não têm. Rodear-se de pessoas medíocres ajuda a aumentar a ilusão de superioridade do Sadim.

A FALSA MODÉSTIA – Mesmo adorando a bajulação, o Sadim com frequência procura manter uma fachada de falsa modéstia. Mas esta cai por terra no instante em que o Sadim acha que não está recebendo a atenção que merece. Aí ele grita, esperneia, intimida, ameaça, calunia – tudo sob a alegação de estar sendo alvo de uma "injustiça" ou de querer corrigir um ato de "incompetência".

OS ATALHOS – Se o Sadim é tão incompetente, como é possível que tantas vezes o encontremos em posições de destaque? Primeiro, porque o Sadim também é um bajulador que sabe se aproximar e tirar proveito de Sadins mais poderosos do que ele. A bajulação não é o único atalho. Em alguns casos, o Sadim pode chegar lá por meio de um casamento de conveniência ou de um bilhete premiado de loteria. Em outros, pelo simples fato de ser o filho do dono, o herdeiro ou o protegido de alguém importante.

O AMIGO DA ONÇA – Às vezes pessoas que no início parecem nossas amigas mais tarde se revelam verdadeiras Sadins. Isso porque a dissimulação é outra característica do Sadim. Ele pode fingir amizade para pegar carona no sucesso de alguém, mas cedo ou tarde tentará reivindicar esse sucesso só para si – é nessa hora que o Sadim mostra as garras.

A MEMÓRIA SELETIVA – O Sadim tem o incrível dom de reescrever a história à sua maneira. Naturalmente, considera-se um Salomão em termos de justiça – adora proclamar "Sou uma pessoa justa" –, mas o fato é que palavras como reconhecimento e gratidão não existem no seu vocabulário. Ao relatar fatos passados, sempre aumenta sua importância e reduz, ou mesmo elimina, a importância dos outros. Pode chegar ao cúmulo de clamar para si a autoria de uma ideia que não teve ou de uma iniciativa que não tomou.

A INVEJA – Todo Sadim é um invejoso por excelência. Os problemas de autoestima o levam a cobiçar o que os outros possuem, em vez de tentar obter tais coisas por esforço próprio. O Sadim inveja não apenas a riqueza e o poder, mas também qualquer coisa que faça uma pessoa se distinguir: talentos, habilidades, méritos. Inveja o fato de alguém ser estimado pelos demais, os amigos que o outro tem e até mesmo a "sorte" alheia. As realizações passadas, o currículo acadêmico, o bom humor, a vida familiar, tudo pode ser objeto da inveja do Sadim.

O DICIONÁRIO PESSOAL – O Sadim tem um dicionário próprio, no qual as palavras assumem o sentido que ele quer. O talento dos outros ele chama de "sorte" ou de "pistolão". Sua falta de tato e de inteligência social recebe o nome de "honestidade" e em geral vem acompanhada da frase: "Digo a verdade, doa a quem doer". Os mais habilidosos ele chama de "medíocres", e os mais competentes são sempre "incompetentes".

A METAMORFOSE AMBULANTE – O Sadim que se preza está sempre mudando de ideia, ou para acompanhar o que está na moda, ou para tentar contaminar os outros com sua eterna insegurança. Se num momento o Sadim diz que gostou do seu trabalho, no instante seguinte pode dizer que você não faz nada que preste. Se hoje defende uma teoria com unhas e dentes, amanhã pode defender algo totalmente oposto. Nem tente entender: é melhor sair de perto de fininho e fingir que não escutou.

O RANCOR – O Sadim é capaz de lembrar-se daquele coleguinha da escola primária que tirava as melhores notas e atraía todas as atenções – e continuar lhe reservando uma parcela de ódio e ressentimento. Jamais esquece quem acredita tê-lo ofendido e não deixa passar nenhuma chance de se vingar e destilar rancor. Por outro lado, o Sadim se esquece com facilidade de quem o ajudou.

A PARANOIA – Um Sadim "patológico", com o tempo, descamba para a paranoia. A insegurança que tanto tenta ocultar ou ignorar vai crescendo nas sombras e o faz ver, por toda parte, conspirações para derrubá-lo. Qualquer um que não pertença à turma dos bajuladores pode ser visto como traidor, e até mesmo alguns bajuladores às vezes pagam o pato. Como as atitudes do

Sadim conduzem à catástrofe, quanto mais os sinais de desastre ficam evidentes, maior é sua necessidade de encontrar bodes expiatórios. Os delírios tomam a forma de caça às bruxas: se algo vai mal, é porque conspiradores estão tentando sabotar seus planos sempre perfeitos. Para o Sadim, o mundo gira ao seu redor, e a principal ocupação dos outros consiste em tramar alguma coisa para derrubá-lo.

Muita gente costuma reclamar: "Nossa! Está muito difícil hoje!". Sim, porque é difícil, é muito difícil olhar para o futuro e fazer qualquer previsão. Mas há uma maneira de reestruturar a jornada, construir a própria história, atingir os objetivos. Steve Jobs, fundador da Apple, falava que você só consegue ligar os pontos olhando o passado. A gente não faz nada sozinho, eu também não, mas não tome decisões baseado nas constatações dos Sadins que estão por aí. Mais do que isso: não seja um Sadim, não adote essa postura de coitadismo e pessimismo generalizados.

O outro caminho – de otimismo e de autoafirmação, de autoconstrução e evolução constante – eu costumo chamar de *experiência do sucesso*. Cada um de nós tem uma história de experiência. Por mais que você diga "não sou bom", "não gosto de mim", "meu cabelo está feio" ou mesmo que carregue algum trauma complexo, há muitos pontos em que você se destaca, em que é melhor que a maioria, que executa com mais facilidade. Se ainda assim você disser "Nossa, mas eu não tenho nada de bom, só defeitos mesmo", vamos fazer como eu na história da baladinha da escola – transformar o problema em solução. Passe a acreditar em si. Será o primeiro passo para deixar de ser um *fudido*.

T. Harv Eker, autor de *Os segredos da mente milionária* e que já vendeu mais de um milhão de livros no mundo, foi quem me mostrou que eu era capaz de vencer na vida. Esse despertar de consciência, esse *tipping point*, como chamei antes, está onde você menos espera e acontece sem você perceber, desde que tenha o pensamento certo e a postura correta, e não os de um coitado ou pessimista. Acredite que você pode, sim, fazer o impossível. Se der errado, não tem problema. Porque a maior virtude de um ser humano – e não de um empreendedor ou profissional, de um ser humano – se chama resiliência. A capacidade de aprender caindo, apanhar e voltar à sua natureza, à sua forma natural. E continuar. Porque a gente aprende tanto com os acertos quanto com os erros, mas muito mais com os erros.

O sucesso realmente inspira, mas a única forma de aprendizado real e legítimo é o fracasso. Isso está comprovado. O fracasso não condena à morte. Ao contrário, dá a musculatura de que falamos e a milhagem para que, na etapa seguinte, você possa se desenvolver com mais capacidade, com um olhar mais refinado e com mais sensibilidade para evitar a repetição dos erros.

Isso acabou se transformando um pouco no meu jeito de ser. Meu estilo de vida é o seguinte: acreditar, ter um olhar positivo, uma agenda positiva, uma visão otimista do mundo e das pessoas. Olhar o lado negativo é fácil. Já nascemos com uma espécie de capacidade para aceitar o fracasso. Porque, para ter sucesso, é necessário um amplo conjunto de atitudes, responsabilidades e compromisso com a vida – com a transformação da sua vida e da vida dos outros. Simplesmente aceitar o fracasso como sua última milha na estrada é muito fácil; justificar-se para não fazer as coisas, colecionar justificativas e explicações para dizer por que você tinha uma ideia maravilhosa e não botou em prática. Você quer o quê? Que alguém dê um tapa nas suas costas e diga "coitadinho"? Esse coitadismo é o que realmente destrói as pessoas, destrói sonhos, destrói esperança, destrói a capacidade de acreditar.

Quando crianças, acreditamos que podemos ser astronauta, engenheiro, médico, coisas maravilhosas. E o mundo, a vida e as pessoas destroem esses sonhos. Perdemos essa essência, essa capacidade intrínseca de acreditar. Mas não se engane: não são os seus inimigos que destroem seus sonhos. São os seus melhores amigos! São as pessoas em quem você tem mais confiança. Essas pessoas têm uma capacidade impressionante de acabar com a sua vida. Como confia nelas, você as escuta. E escutando, acredita no que elas estão dizendo, e interioriza. Aí, meu amigo, você está *fudido*.

Às vezes é melhor um inimigo. Porque para o inimigo você não dá muito espaço, você fica mais alerta com ele. Com o amigo, você se abre. E, na hora em que se abre, você conta uma história para ele. Logo ele vem com uma contra-argumentação e o convence de que aquilo está errado. Se você acredita, adeus! Essa é a maior mentira do mundo. Isso tem sido a minha história de vida recorrente.

Então, lembre-se: você pode olhar tudo pelo menos de duas maneiras. Pode ler uma reportagem, tirar um residual negativo e chorar. Ou pode olhar e falar "Gente, vamos fazer fábrica de lenços!". Você pode ouvir o pessimista e dizer "Tem razão, vou desistir", ou "Ok, mas vou tentar mesmo assim. Se der errado, fico mais forte para poder tentar de novo". Por fim, você pode ser um *fudido* ou um **fodido**. A escolha é sua.

Tive oportunidades épicas ao conhecer duas figuras incríveis, e vou compartilhar essas histórias com você. Um desses caras é Richard Saul Wurman, o mentor, o criador do TED (Tecnologia, Entretenimento e Design), a grande plataforma de mídia. Richard é uma figura extraordinária, arquiteto de formação; estive com ele, na casa dele, conversamos muito, ele me contou toda a história. Ele também teve seus problemas, porque tinha uma visão mais pura da proposta de um novo formato de conteúdo, mais dinâmico, com menos blá-blá-blá, que eu acho fundamental. Acontece que depois a companhia teve outro direcionamento, ele se desentendeu com o executivo e saiu do negócio.

Eu e Richard passamos duas noites na casa dele falando sobre mil projetos, tomamos muito vinho e pensamos na vida. Ele disse uma coisa que nunca esqueci: "Bellino, as pessoas discutem se o copo está meio cheio ou meio vazio. Isso já virou clichê. Eu tenho outra conclusão, outra visão sobre isso. O problema não é se você olha o copo meio cheio ou meio vazio. O problema reside em definir o tamanho do copo". Se você definir o tamanho certo do seu copo, ele estará sempre cheio. Trate de definir o tamanho do seu copo. Pare de ficar nesse conflito de meio cheio ou meio vazio o tempo todo.

A única forma de chegar ao impossível
é acreditar que é possível.

– Lewis Carroll

CAPÍTULO 2

O IMPOSSÍVEL NÃO EXISTE

ASSISTA UM VÍDEO D O
RICARDO BELLIN O

1. Baixe o App ZAPPA R
2. Aponte para a página

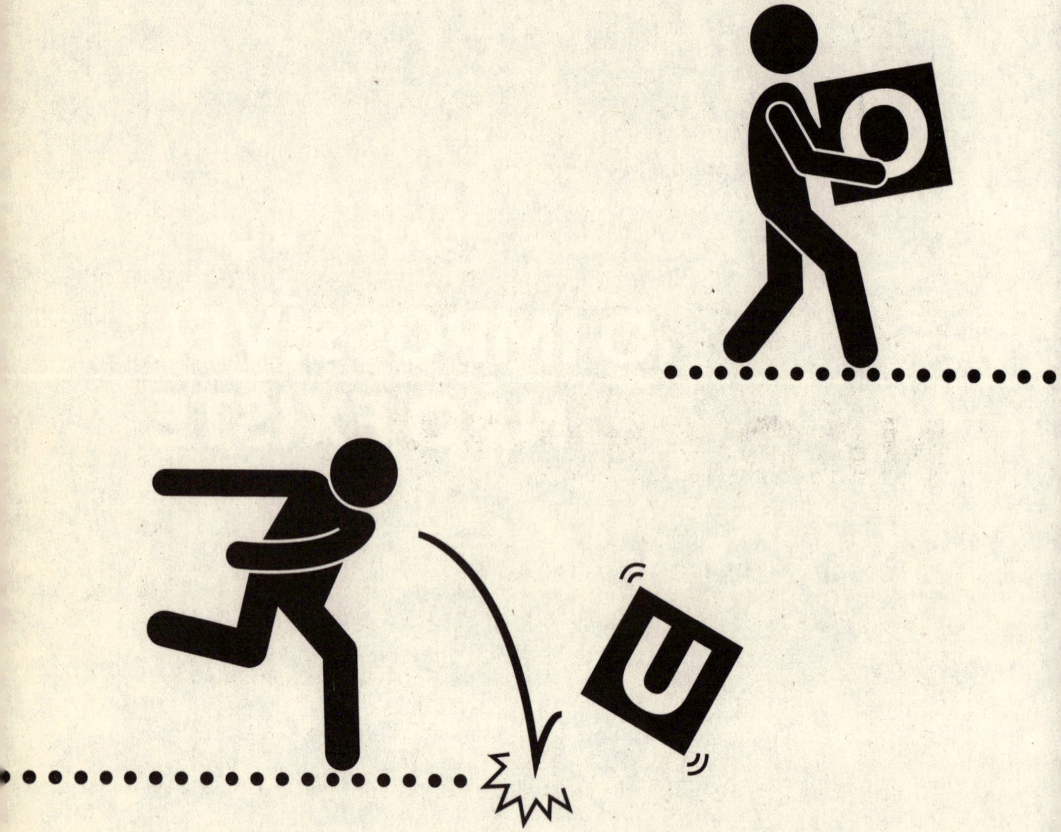
U

SEMPRE OLHEI PARA AS COISAS ACREDITANDO QUE
O IMPOSSÍVEL NÃO EXISTE.

Me desafio muito, acho que posso fazer coisas que a maioria das pessoas não faz, e isso me diverte. Como já dizia Walt Disney, eu adoro o impossível, porque nele tenho muito menos concorrentes. Como meus amigos não acreditavam que fosse possível, nenhum deles concorria comigo. Encontrei a inspiração para os meus negócios, meus empreendimentos, em observações muito corriqueiras ao longo da vida.

Meu maior *case* de sucesso – e a história mais emblemática da minha vida até hoje – foi me tornar sócio de John Casablancas, o lendário fundador da Elite Model Management, e ser dono da filial brasileira a partir da leitura de uma matéria em uma revista francesa. Quando li aquele artigo, entrei em uma espécie de transe, em um processo de euforia tão grande que não medi mais esforços. Quando sintonizei naquela dimensão do possível – ou de ruptura do paradigma do que parecia impossível –, realmente me lancei em uma aventura sem limites.

Obviamente eu já adorava as modelos. Adorava aquelas mulheres; eu as seguia em revistas e desfiles de carnaval. Quando fiquei sabendo do negócio de agências de modelos, pensei: "Vou ser sócio de John Casablancas! Imagina ainda conseguir ganhar dinheiro com isso". Já estava até aceitando não ganhar nada.

Sou do tempo do telex, e não havia ninguém a quem eu pudesse recorrer para descobrir o telefone ou o telex de Casablancas. Percebi que, na última página daquele artigo em francês, estava o logotipo da agência dele, o endereço, o telefone e o telex. Qualquer um podia ver. Pronto! Agora eu tinha o telex do homem. É equivalente a conseguir o *e-mail* do ex-presidente Barack Obama hoje em dia.

Então fui para Nova York para falar com John Casablancas. Ele me recebeu, avisando: "Estou com a agenda complicada, me diga rapidamente o que você quer de fato". Respondi que vislumbrava a grande oportunidade de a Elite desembarcar no Brasil naquele momento, pois a modelo brasileira mais famosa do país, Luiza Brunet, acabara de rescindir contrato com a Dijon Jeans depois de uma longa parceria, e poderíamos contratá-la. O empresário da marca havia registrado o nome de Luiza no INPI, e ela estava em uma crise tremenda. A crise faz a oportunidade, eu sempre digo isso. Ela estava disponível, e era o momento de conseguir um contrato com valor abaixo do mercado.

Imagine a minha sorte, Casablancas falava portunhol, pois aos 18 anos tinha se mudado para Recife, assumindo o cargo de gerente de *marketing* da Coca-Cola. Diante da minha proposta para criar e assumir uma sede da Elite no Brasil, ele respondeu com toda a sinceridade: "Ricardo, sejamos francos, você não tem um tostão, não conhece ninguém na indústria da moda. E vamos combinar que de moda você não entende nada. Olhe o seu estilo". "Você quer sair para jantar comigo ou quer fazer negócios?", repliquei. Disse a ele que era muito simples: ele me daria uma carta, uma página, e com esse papel em mãos eu iria atrás de financiamento para colocar de pé minha ideia de maluco. Para se livrar de mim, ele fez a carta na hora.

Bati na porta de todas as agências de publicidade e clientes que você possa imaginar no eixo Rio-São Paulo e não obtive resposta. Até que um dia encontrei um cara chamado Nelson Alvarenga, fundador da Ellus. Apresentei o projeto de implantar a Elite no Brasil e expliquei que para isso eu precisava do financiamento e de aporte financeiro de uma grande grife brasileira. Ele disse: "Não saia dessa sala, quero ser o investidor com exclusividade. Quanto custa?". Respondi que custava um milhão de dólares. Ele disse: "Ok! Negócio fechado". Pensei comigo mesmo: "Está vendo, nem foi tão difícil".

Após a reunião com a Ellus, liguei para Casablancas para dar a boa notícia: surgira um possível patrocinador disposto a assinar um cheque de um milhão de dólares. Casablancas ficou animado, disse que era tudo uma loucura, mas que topava, seria um sucesso. Expliquei que o patrocinador estava desconfiado de que tudo fosse uma mentira inventada por mim e de que eu nem sequer conhecesse o dono da Elite. O patrocinador havia me desafiado a provar que não estava mentindo, trazendo Casablancas e duas modelos para a festa de 15 anos da Ellus, para celebrar o nosso contrato.

Ao contar tudo isso, fiquei gelado, imaginando que Casablancas fosse me mandar pastar. Para minha surpresa, não só concordou, como também disse para não me preocupar, pois já iria providenciar sua passagem na primeira classe. (Você deve saber que os ricos odeiam pobre. Simplesmente odeiam pobre.) Pediu apenas que eu providenciasse uma suíte e duas passagens executivas para as modelos, além de um "dinheirinho *cash*" para que elas pudessem comprar umas "roupinhas" no Brasil. Falou isso naquela arrogância americana.

Concordei com tudo, mas pedi um favor. Como eu teria um almoço com o patrocinador, pedi que ele enviasse dois telex: um confirmando a presença na festa e no outro especificando o pedido de passagens executivas e estadia. Porque isso é conversa de pobre, e eu não queria passar um atestado de pobreza; não fica bem para quem está prestes a fechar um negócio de um milhão de dólares essa preocupação com passagens e acomodações. Veja você, eu já estava ditando telex para John Casablancas.

Então fui aos correios, busquei o telex, coloquei no bolso e fui para o almoço. Chegando lá, o patrocinador me pergunta sobre Casablancas, e entrego o papel no qual ele confirmava presença. Fechamos o negócio.

No dia 8 de agosto de 1988, no Golden Room do Copacabana Palace, no Rio de Janeiro, promovemos a primeira final nacional do concurso da Elite Model para descobrir novas modelos, na época chamado Look of the Year. Em 1989 fizemos a primeira final latino-americana, e em 1990 trouxemos a final mundial para o Brasil. A Elite Model lançou as modelos mais importantes do mundo, incluindo a *übermodel* brasileira Gisele Bündchen. E eu participei ativamente disso tudo graças à minha visão e entusiasmo; eu, um sujeito que não falava inglês, não conhecia ninguém da moda e tampouco tinha um diploma.

Por que contei isso? Porque essa história deixa bem claro que, para ter êxito como empreendedor, é preciso transformar ideias em negócios de sucesso. Mas como saber se vale a pena investir em uma ideia? Como saber se uma ideia é boa? A única forma de saber se uma ideia pode se transformar em um negócio de sucesso é quebrando a inércia da teoria e colocando a ideia na prática. É a única maneira. Essa é a minha especialidade: colocar ideias em prática, fazer sopa de pedra. Vender negócios ambiciosos, audaciosos, com o melhor tempero.

A maior mentira do mundo

Aprendi em minha vida, muito cedo, que a maior mentira do mundo que nos é contada por pais, sócios, professores e mentores é que não podemos acreditar em nossos sonhos. Dizem que não podemos realizar coisas com que sonhamos porque não temos capacidade e conhecimento específico. Somos desencorajados por não ter dinheiro, por não conhecer pessoas no ambiente do projeto ou por não ter uma certificação acadêmica. Diante de tudo isso, ficamos reféns da mediocridade, sem poder correr riscos e assumir a responsabilidade de que uma ideia possa dar certo. Existem muitas ideias. Quase todo mundo tem uma ideia que julga brilhante. Mas coragem para seguir em frente e torná-la realidade custa muito.

O ser humano está preparado para aceitar o fracasso. Mas, quando uma ideia dá certo, meu amigo, dá um trabalho danado! O que dizer de um cara que não falava inglês, não tinha um tostão, não conhecia ninguém no mundo da moda e que de repente leu uma matéria em uma revista em francês e, mesmo sem dominar a língua, conseguiu compreender nas entrelinhas que aquela era uma ideia fantástica? Eu pensei: "Por que não posso ser sócio de John Casablancas? Só porque não falo inglês, não tenho amigos no mundo da moda e não conheço ninguém que possa me ajudar a chegar nesse cara?".

Tudo isso são desculpas para não fazer alguma coisa. Muito mais fácil se justificar para depois reconhecer que não deu certo.

Não, não me dou essa chance. Eu assumo todos os riscos inerentes. Por isso deixei meu paletó italiano, atravessei o Atlântico e fui trabalhar como entregador da transportadora DHL. Naquele primeiro encontro em que convenci John Casablancas a ser meu sócio, eu estava vestido com o uniforme da DHL. Eu ia à sede da Elite Model entregar correspondência.

Você está disposto a levar suas ideias a esse nível de sacrifício, dedicação e perseverança? Essa é uma pergunta a ser feita. Não adianta fazer uma apresentação bonita, criar um roteiro maravilhoso usando palavras perfeitas se não houver entusiasmo, vontade e capacidade de assumir riscos. E mais importante: resiliência, saber que vai cair muitas vezes e levantar, que vai errar muito mais do que acertar. É com essa capacidade de acreditar e sistematicamente errar que acabamos nos diplomando na escola da vida e conseguindo fazer aquilo que para muitos parece uma grande mentira. A maioria das pessoas me tachava de louco, mentiroso. Diziam: "Isso é impossível! Como você vai fazer um negócio desses? Ficou maluco?". Mas eu fiz.

Quando as pessoas querem nos dissuadir de alguma coisa, fazem uso de recursos fantásticos. Dizem: "Querido, esqueça, isso não vai dar certo". E o mais surpreendente: não são os inimigos que fazem isso. Geralmente é alguém da família, o melhor amigo, o sócio, alguém muito próximo. Como já disse antes, é com essas pessoas que você deve tomar cuidado.

Minha experiência tem comprovado, para mim e para todos que participam de minha vida, que é possível fazer aquilo que parecia impossível. Walt Disney um dia disse: "Adoro o impossível, pois lá a concorrência é menor". Essa é a minha linha todos os dias: acreditar no impossível, trabalhar no impossível. Porque assim tenho muito menos concorrentes. Detesto a concorrência.

Realmente tenho tido o privilégio de compartilhar ideias, projetos, negócios, anedotas com pessoas consideradas reis Midas. Para aproveitar esses contatos, é preciso saber exatamente o que a gente quer, o que a gente pede, porque a palavra tem uma força enorme. Mas, além das grandes figuras que me inspiram até hoje, também tive o privilégio de conviver com outras que são verdadeiros Sadins. Com certeza você conhece vários Sadins, apenas não os conhecia por esse nome. A lição aqui é a seguinte: quando o sucesso dá de cara com a inveja, é explosivo. O ser humano não aceita o sucesso alheio quando ele próprio não consegue realizar os sonhos, não consegue correr os riscos necessários e se dar a oportunidade de fazer alguma coisa.

Todas essas experiências em algum momento me fizeram refletir sobre o propósito da minha vida, porque não é só ser bem-sucedido, nem se trata apenas da consequência do sucesso, ser rico. Nunca pensei em ser rico, pois isso é consequência, não é o objetivo. Ser rico é o resultado. A jornada, o caminho, é o mais importante, o mais divertido. Nunca sabemos aonde vamos chegar, mas, se estamos atentos ao caminho, aprendemos muito com ele.

Não existe esta coisa de homem feito por si mesmo.
Somos formados por milhares de outros.
Cada pessoa que alguma vez tenha feito um gesto
bom por nós, ou dito uma palavra de
encorajamento para nós, entrou na formação
do nosso caráter e nossos pensamentos,
tanto quanto do nosso sucesso.

– George Matthew Adams

CAPÍTULO 3

A LEI DOS SEIS GRAUS

ASSISTA UM VÍDEO DO
RICARDO BELLINO

1. Baixe o App ZAPPA R
2. Aponte para a página

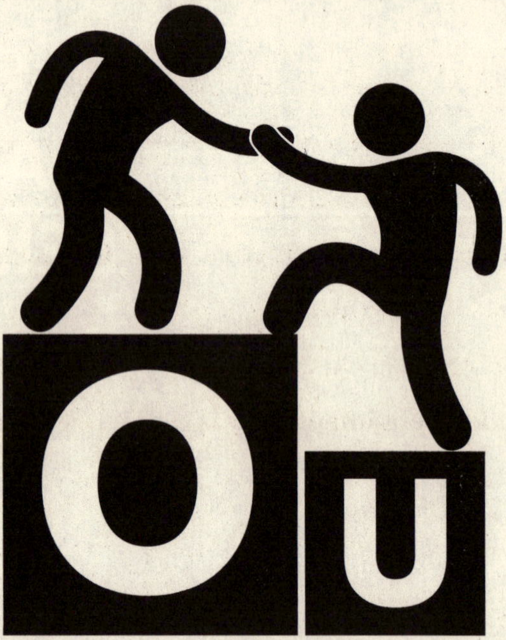
O
U

TENHA CONTATOS.

Isso mesmo, essa é a grande lição deste capítulo. Você precisa se conectar às pessoas certas no momento certo. Para isso, precisa ver e ser visto, ter um contato rápido. Não precisa ser amigo de todos – porque amigos a gente tem poucos, realmente –, mas precisa saber como acionar essa ou aquela pessoa na hora em que precisar. Quando a gente soma cabeças, momentos, comunidades, pensamentos, uma fagulha é possível. E mais importante do que isso: você passa a ser necessário.

Você já deve ter ouvido falar na lei dos seis níveis, mas vou resumi-la rapidamente para ser mais didático e prático. Testada pelo sociólogo Stanley Milgram em 1967, a teoria diz que qualquer pessoa pode chegar a qualquer outra pessoa em, no máximo, cinco contatos. Ele chegou a essa conclusão ao solicitar que trezentos participantes levassem uma carta para um corretor da Bolsa de Valores de Boston, passando-a para qualquer um que conhecessem. A carta passou em média por cinco pessoas antes de chegar ao destino, em um total de seis graus de separação. Só tem um detalhe: apenas 3% das cartas de fato chegaram ao destino.

Muito tempo depois, já com o advento da internet, outro estudioso tentou recriar o teste. Duncan Watts deu uma meta para pouco mais de quatro mil pessoas: fazer um *e-mail* chegar para pessoas predeterminadas. Todas importantes, mas de vários países, de várias áreas, obviamente o mais distintas e longínquas possível da pessoa de origem. E os participantes só poderiam utilizar *e-mails* que já tivessem em seus contatos.

Apenas 384 *e-mails* chegaram ao destino final, com uma média de cinco ou seis graus de distância contando com o primeiro, aquele que enviou. Ainda assim, usando técnicas estatísticas, Watts estimou que seriam necessários entre cinco e sete *e-mails* para chegar à pessoa-alvo. Logo, seis na média.

A Microsoft, por meio do Messenger, foi a última e mais próxima da nossa realidade a tentar comprovar (ou desmentir) a teoria. Eric Horvitz e Jure Leskovec analisaram metade dos registros de todo o tráfego de conversas on-line de 2006. Eles concluíram que duas pessoas estão, em média, a 6,6 graus de distância. Dessa vez ninguém enviou nada, o resultado foi só teórico.

Bom, eu sou a prova viva de que isso é real. Você pode chegar em qualquer pessoa, de qualquer lugar do mundo, de qualquer área ou status social, se quiser. Talvez precise de mais ou menos do que seis graus, mas isso não é o principal – o que importa mesmo é conectar-se.

Como já disse, muitas vezes me inspirei na observação casual das coisas, em um artigo de revista, em uma vitrine de loja. Tudo isso foi inspiração para os meus projetos. Em um de meus processos de reinvenção, me inspirei na minha filha, ao ver por acaso um vídeo postado por ela no Facebook com um tutorial de maquiagem.

"Minha filha, adorei. Não sabia que você tinha essa capacidade", elogiei. Ela havia transformado o quarto em um estúdio de televisão, gravando, editando e inserindo legendas.

"Pai, quero fazer um curso de maquiagem", disse ela.

"Minha filha, será possível que não haja uma vez em que você não apareça com uma ideia que vai me custar dinheiro? Não dá para fazer um negócio em que você ganhe dinheiro?", respondi.

"Pai, você é um miserável! Custa apenas 17 dólares por mês", retrucou ela.

Argumentei que o curso deveria ser uma merda, que ela não iria aprender nada.

"Pai, você é um velho, não entende nada. O curso é via internet. Você paga a *subscription* e vai pagando todo mês", ela rebateu.

Pedi um tempo para pensar e entender aquilo e fui lá olhar o *site*.

Eu desenvolvi uma loucura, uma patologia, de ficar buscando *e-mail* de todo mundo para falar com as pessoas. Descobri então um casal que mora na África do Sul e tem uma plataforma chamada University of Makeup. Achei o nome bacana, mandei um *e-mail* contando a história. Nos falamos uma, duas, três vezes via Skype. Na terceira vez, minha filha era sócia com 50%, sem botar um tostão. Pois, meu querido, botando dinheiro é fácil. Eu tenho a sigla O.P.M. – *other people's money*, dinheiro dos outros. Precisa ser com o dinheiro dos outros, não com o seu. Pelo menos não no investimento inicial. Já temos o trabalho de ter a ideia, realizar, pegar avião – e ainda ter que botar dinheiro? Não!

Em resumo, acabei abraçando a causa, investindo e me dedicando na construção de uma visão de futuro para a minha filha e, por que não, para mim também. Uma ideia de uma menina com um pai maluco e um pouco de paixão, ousadia e atrevimento.

Não pense que esses contatos de que falamos aqui sejam apenas uma forma de aumentar seu círculo social, de manter bons relacionamentos ou uma maneira de sair na coluna social do jornal de sua cidade. Não! A ideia é fazer conexões práticas, rápidas e eficazes para gerar negócios, para colocar suas ideias em prática, para não ficar no limbo entre a ótima ideia e a prática inexistente.

Haja, seja foda. Esses contatos podem ser adquiridos a qualquer momento: em viagens, em um passeio com a família, no caminho que você faz todo dia, nas atividades da sua filha (como vimos acima), enfim, em qualquer lugar. Sua atitude é que vai determinar se esse contato vai passar despercebido ou se, daqui um tempo, será o seu canal para fechar um negócio de um milhão de reais.

No mundo dos negócios, *networking* é essencial. Para quem está começando a empreender ou para o *dealmaker* mais renomado, o que determina seu valor é sua rede de contatos. Buscar parceiros com visões diferentes, opostas, absurdas ou conservadoras será sua salvação no momento em que a oportunidade chegar. Mas existem algumas dicas rápidas e simples que você pode ter em mente para fazer *networking* de forma natural.

Seja útil

Parece papo de grupo de apoio motivacional, mas é verdade: ajudar alguém é a melhor maneira de criar um vínculo, um contato. Isso vai fazer bem para você também. Essa relação, mesmo que muito rápida, fará você ser lembrado como alguém eficaz, prático, que resolve. Isso ajuda muito a ser visto como um **fodido**, e não como um *fudido*. Ajude quem puder sem querer nada em troca. A pessoa não se esquecerá de você, e, caso precise dela, será mais fácil se aproximar.

Seja visível

Em tempos de redes sociais, ser visível é um pouco mais fácil do que quando comecei. Mas nada substitui o contato real, visível, *off-line*. Quem é visto é sempre lembrado. Essa é a realidade. Apareça, compareça, vá a eventos, premiações ou qualquer outro tipo de ambiente relacionado à sua atividade atual ou à que está disposto a praticar. Converse, fale sobre assuntos interessantes, seja agradável, para ser lembrado.

Busque pessoas que falam a mesma língua

Não estou falando de idioma (pois já vimos que tive um problema com isso logo no início), mas sim de pessoas com ideias próximas às suas. Normalmente é mais fácil negociar com quem acredita no que você também acredita. Ter ideias próximas facilita a negociação, a simpatia e principalmente o primeiro contato. Aqui você possivelmente nem precisará dos seis graus de distância para chegar ao objetivo final. Essas pessoas costumam estar mais perto. Mas cuidado: não são a única opção. Vamos ver isso a seguir.

Busque pessoas que NÃO falam a mesma língua

Isso mesmo! Exatamente o oposto do último tópico. Ter contato apenas com pessoas que têm as mesmas ideias e pontos de vista que você limitará sua rede de contatos. Comece por elas, tudo bem, é mais rápido, mas não fique apenas nessa rede. Expanda, chegue naqueles que pensam diferente de você. Seja honesto e sempre respeitoso. Assim, será possível alcançar aqueles que em um primeiro momento pareciam inacessíveis. Isso é um trunfo, pois você se diferenciará. De início possivelmente você precisará de muito mais do que seis graus para chegar, mas, depois que conseguir alguns contatos desse tipo, esse será o seu diferencial, a sua carta na manga.

Tenha uma abordagem sincera

Como já mencionei, fale a verdade. Não seja grosso ou desagradável, também não faça promessas que não possa cumprir, acentue não o problema, e sim a solução. Tudo bem ocultar uma dificuldade ou outra (como fiz, por exemplo, em alguns casos que conto aqui neste livro), mas foque em não criar falsas expectativas. Porque, ao frustrar qualquer uma delas, você será lembrado como alguém que prometeu e não cumpriu, e esse contato já era.

Seja criativo

Admito que, vestido de carteiro, sem falar inglês e vencendo pelo cansaço, não foi a melhor maneira de chegar a John Casablancas no início de minha carreira. Mas funcionou. Então invente o que der para chegar no contato de que precisa. Cuidado com os excessos, tenha bom senso, mas não há limites quando se é criativo. A forma como você vai chegar pode ser qualquer uma, desde que chegue. Seja criativo. Invente qualquer coisa, motivo ou situação para atingir o contato de que precisa.

Dez práticas para um *networking* eficaz

1. Esteja nos lugares.
2. Participe das conversas.
3. Saiba se expressar.
4. Seja uma pessoa interessante.
5. Compartilhe ideias e convide pessoas para opinar.
6. Não fale mal dos outros.
7. Não seja o dono da verdade.
8. Mostre interesse real.
9. Não desista.
10. Mas saiba a hora certa de deixar para outro dia, para não parecer um mala.

Cinco anos em uma hora: o poder de aprender com os outros

Já que estamos falando em contatos, trago aqui a declaração de uma pessoa que admiro muito e é especialista em fazer isso: Erico Rocha, o maior empreendedor digital do Brasil, criador do método Fórmula de Lançamento, um sistema de *marketing* digital para lançamento de produtos e vendas *on-line*. Nos conhecemos em uma situação casual, e ele conta esse encontro aqui.

"Se quer ir rápido, vá sozinho; se quer ir longe, vá acompanhado." A frase não é minha, é um provérbio africano. Ouvi de um mentor. Esse é um dos fundamentos que me fez crescer tanto. Explicando de maneira mais específica, é usar a inteligência coletiva para crescer. O que quero dizer com isso?

Não importa quem você seja – um bilionário ou um cara que está começando do zero –, não importa se tem muito ou se não tem nada, o fato é que você nunca vai saber tudo sobre tudo, nunca vai conseguir focar tudo de tudo, ser bom em tudo. Normal. Porque o tempo para ficar bom em alguma coisa é limitado, as experiências de vida a que você tem acesso para ficar bom em alguma coisa são limitadas.

Uma das grandes sacadas que fez com que eu crescesse tão rápido é que várias vezes consegui crescer cinco anos em uma hora. Como fiz isso? Alavancando a inteligência coletiva. Muitas pessoas são *experts* em algumas áreas, e, quando tenho a chance de encontrá-las, às vezes de forma organizada, como em eventos voltados para isso, ou então de forma casual, tenho condições de crescer muito rápido em apenas uma hora.

Lembro que Ricardo Bellino e eu estávamos saindo de um evento, fomos para o camarim, e em uma hora de conversa ele me ensinou mais sobre *dealmaking* nesse nível que ele está jogando do que eu jamais saberia ou, quiçá, mais do que eu jamais poderia aprender em cinco anos. Erico, por que você não aprenderia *dealmaking* em cinco anos? Não sei. Talvez simplesmente porque não despenderia tanto tempo para isso. Nem mesmo saberia a importância. Bellino resumiu anos daquilo em uma hora. E comecei a pegar sacadas que realmente me levam para uma outra direção.

Por que cinco anos? Pelo seguinte: na vida de um empreendedor, acredito que o seu futuro, o meu futuro, não é proporcional ao quanto trabalhamos. Ele é proporcional às direções que tomamos. Imagine que quero ir de A para B, e sei que tem um certo caminho no meu GPS. Se tenho uma pessoa que consegue me mostrar um atalho de A para B, não tenho que percorrer tudo o que percorro com meu GPS; posso chegar ao destino muito mais rápido, quiçá até cinco anos mais rápido.

Esse princípio do empreendedorismo em que acredito – estar em contato com pessoas que sabem muito de alguma área e poder absorver conhecimento delas – é algo que pode mudar a direção do seu negócio. Esses *experts* são capazes de fazer você ir de A para B em um segundo. E, quando você muda e tem uma decisão certa, é aí que a coisa acontece.

Na conversa com Bellino, ele desconstruiu muita coisa sobre o que eu achava que fosse *dealmaking*. Não sei se ele sacou que desconstruiu tanto assim. A gente acabou se conectando, e acabei dando uma puta sacada, acho que várias grandes sacadas. Nessa loucura de trocar ideias, inclusive tivemos uma sacada de um novo projeto para ele.

Estávamos sentados, e eu disse: "Nossa, Bellino, você devia fazer isso". E o mais interessante é que era um projeto que ele tinha engavetado por um motivo ou outro. Estava ali no que chamamos de *ice box*, deixado de lado. Mas, quando ele viu o que eu estava falando no evento, as ferramentas de que eu estava falando, sobre a possibilidade de lançamento, sobre a possibilidade de uso do *marketing* digital, o projeto se desengavetou dentro dele.

O mais curioso é que ele estava muito hesitante. Era um projeto que eu queria muito que ele fizesse, mas Bellino parecia reticente. Sentamos juntos para tomar um café, e acabei desenhando um pouco do elo que faltava para ele colocar o projeto em prática. Bellino ficou superexcitado e está colocando em prática agora. Incrível. É incrível a *speed of implementation*, a velocidade de implementação de um cara como ele. Sentamos em um café, desenhamos o projeto, e a coisa está aí, rodando.

Em nossa interação, pude contribuir com o projeto de Bellino, e ele com os meus. É um exemplo do uso da inteligência coletiva para crescer.

Entendem agora o que eu digo com a importância dos contatos? Se você está com a atitude certa, qualquer um pode ser o Erico Rocha do seu negócio. Seja rápido, aberto às opiniões, e aprenda todo o tempo, com todas as pessoas que puder.

Mais do que contatos, tenha amigos engajados

É possível que, ao ler estas linhas, você pense: "Assim é fácil. Se conhecesse alguém que pudesse me abrir as portas, até eu conseguiria". Minha resposta é: então trate de cultivar amizades e ampliar seu círculo de relacionamentos. Achar que as coisas foram fáceis para mim ou para qualquer outro por causa de uma indicação é uma ilusão de *fudido*.

Primeiro, porque, na primeira vez que falamos com alguém, é necessário um grande esforço de nossa parte para superar inseguranças do tipo "Por que uma pessoa tão importante falaria com um desconhecido sem um tostão no bolso?". Também é preciso se valer de grande dose de persistência para que esse primeiro contato seja possível.

Em segundo lugar, porque um relacionamento não se mantém por acaso depois de um primeiro contato. A amizade normalmente precisa ser cultivada com base no respeito mútuo e na ética que sempre devem pautar a trajetória profissional. É assim que a amizade sobrevive às circunstâncias adversas que de modo geral sepultam relações. É assim que se continua amigo mesmo depois de um fracasso.

Um *networking* sólido, ou seja, a composição de uma rede de contatos que efetivamente possam indicá-lo para alguém ou algo em geral vai proporcionar um grupo de amigos engajados com você, que acreditam em você e no seu trabalho. Amigo engajado é alguém que avaliza a sua atuação para terceiros, praticamente um fiador profissional. É como se dissesse a um terceiro: "Olha, garanto que ele vai fazer o que está dizendo. Se não fizer, você pode cobrar de mim".

Hoje é moda falar da criação de *networks*, ou redes de relacionamento. Não faltam livros e cursos que destacam as vantagens profissionais de se ampliar a lista de contatos e relações. Com frequência, essas vantagens se resumem a uma só: obter acesso a pessoas que, por sua posição ou influência, poderão ajudá-lo de alguma forma a atingir seus objetivos. Essa é uma visão muito limitada, pois transforma as relações humanas em mera questão de troca de favores. Pode funcionar, mas só até certo ponto. Nesse caso não existem laços verdadeiros, apenas interesses utilitários; portanto, assim que uma pessoa deixa de ser útil, é automaticamente descartada – e esse acaba sendo o destino de quem se preocupa em fazer contatos em vez de fazer amigos.

A verdadeira *network* é muito mais uma confraria do que uma lista de contatos. Em uma confraria, as pessoas se aproximam umas das outras movidas pelo interesse saudável e natural de fazer amizade, trocar experiências, aprender com seus semelhantes. Ao serem devidamente cultivados, esses laços se transformam em uma rede de apoio mútuo, essencial não apenas para a vida profissional, mas também para a vida pessoal. O que vale aqui não é pensar em quem eu posso usar, mas com quem eu posso contar.

A visão mais ampla dos relacionamentos humanos recebe o nome de inteligência social, definida por Edward Thorndike, da Universidade de Colúmbia, como a habilidade que cada indivíduo tem de entender e lidar com outras pessoas. Essa habilidade é fundamental para qualquer um que queira ser bem-sucedido no meio empresarial.

Lee Iacocca, o célebre executivo que reinventou a Chrysler, tirando a empresa do atoleiro em que se encontrava no início dos anos 1980, costumava dizer: "Negócios, afinal, nada mais são do que uma porção de relacionamentos humanos". É o ponto de vista típico de uma pessoa dotada de elevado nível de inteligência social; com certeza, essa qualidade contribuiu para que Iacocca ingressasse no seleto time das lendas vivas do mundo dos negócios.

Saber relacionar-se com as pessoas implica, entre outras coisas, saber ouvi-las e respeitá-las – e não usá-las como alvo de mau humor ou de frustrações pessoais, mesmo que tal atitude venha disfarçada com frases do tipo "fulano merece um esculacho". Uma pessoa com inteligência social mais elevada diria "Preciso conversar com fulano para saber o que está acontecendo", e só faria isso passado o momento de raiva ou irritação. Aliás, dar um tempo para esfriar a cabeça e pensar antes de falar ou agir é uma das características que identificam a competência social ou o nível de inteligência social.

Vários estudos apontam diferentes aspectos que caracterizam o indivíduo com alto nível de inteligência social. E o que a ciência aponta, a prática confirma. As características listadas a seguir aparecem com frequência na biografia das pessoas de sucesso – nos negócios e na vida.

- **ACEITAR OS OUTROS COMO ELES SÃO.** No convívio social, nada é mais desgastante do que tentar modificar as pessoas ou moldá-las conforme nossos gostos e necessidades. Além de ser inútil, faz com que você seja visto como intolerante ou manipulador. Em vez de tentar forçar os outros a serem o que não são, uma pessoa com inteligência social preocupa-se em descobrir como as pessoas podem contribuir sendo como são.

- **ADMITIR OS PRÓPRIOS ERROS.** Do ponto de vista social, poucas pragas são piores do que os donos da verdade. Os que nunca admitem seus erros acabam afugentando os demais ou oprimindo-os com sua arrogância. Um pouco de humildade faz com que a pessoa pareça mais humana e acessível, requisitos básicos para um relacionamento saudável.

- **MOSTRAR CURIOSIDADE E INTERESSE PELAS PESSOAS E PELO MUNDO EM GERAL.** Ninguém que seja do tipo bitolado, que só fala de determinado assunto – sobre o trabalho, por exemplo –, consegue formar um amplo círculo de amizades. A fama de chato o persegue, e, na maioria das vezes, tal indivíduo acaba se limitando a relacionamentos superficiais, com pessoas como ele.

- **TER CONSCIÊNCIA SOCIAL.** Esse é um desdobramento natural do interesse genuíno pelas pessoas que caracteriza alguém dotado de inteligência social. Esse tipo de pessoa não é indiferente aos problemas da sociedade na qual se insere e, sempre que pode, intervém para ajudar na solução.

- **SER PONTUAL.** Parece um detalhe insignificante, mas não é. Não fazer os outros esperar é sinal de respeito e consideração.
- **SER SENSÍVEL ÀS NECESSIDADES E AOS DESEJOS ALHEIOS.** Quem é socialmente inteligente sabe fazer com que os outros se sintam compreendidos e dignos de atenção. Isso ocorre em virtude da sensibilidade do indivíduo aos anseios dos que o cercam. Essa característica é imprescindível para lidar com egos, interesses e vaidades – coisas que não faltam sempre que um grupo de seres humanos está interagindo, seja nos negócios, seja entre familiares e amigos.
- **FAZER JULGAMENTOS JUSTOS; SER HONESTO CONSIGO E COM OS OUTROS.** Nada mais equivocado do que confundir bajulação com inteligência social. Quem tem esse tipo de inteligência não bajula nem gosta de ser bajulado. Em vez disso, emite opiniões com honestidade – sejam críticas construtivas, sejam elogios – e procura ouvir todas as partes envolvidas antes de chegar a uma conclusão.

- **SABER TRANSMITIR INFORMAÇÕES RELEVANTES E DISTINGUIR O QUE É RELEVANTE NAS INFORMAÇÕES QUE RECEBE.** Conversa mole não é sinal de inteligência social elevada – e dar o mesmo peso a tudo o que se ouve também não é. Na verdade, a falta de objetividade e coerência ao transmitir informações e a falta de discernimento ao retê-las e reproduzi-las indicam baixo nível de inteligência social.

Não seja arrogante

Todo dia eu olho nos olhos do cara, pergunto como está a vida dele, como estão as coisas, como está seu projeto, sua família. É minha prática diária com quem trabalho, faço negócios ou tenho o mínimo vínculo pessoal. Qual é o problema de fazer isso? Você cresce muito mais quando se dá com as pessoas, quando cria empatia com elas. Isso faz com que as pessoas gostem de você. Ser apreciado é muito importante. A arrogância estabelece uma série de restrições. As pessoas vão derrubar o arrogante na primeira oportunidade, pois ficam com um sentimento de vingança, o desejo de dar troco, vão ter prazer em ver o arrogante cair. Vão ter prazer porque o ser humano tem isso.

Os romanos criaram o Coliseu para colocar 50 mil pessoas lá dentro e ver cristãos serem destroçados por leões. A multidão ia lá para ver pessoas serem trucidadas por leões. Você consegue imaginar uma coisa dessas? Então, se trouxer para o mundo atual, as pessoas têm prazer em ver as outras serem devoradas por leões! Só que é um leão diferente. É o cara que vai preso, que quebra, que vai à falência. As pessoas têm prazer. É uma coisa maluca.

O ser humano é primitivo nos instintos, nos sentimentos. Somos bichos que vestem roupas, penteiam o cabelo, põem um relógio e andam de carro. E em muitos dos nossos sentimentos, reações, estímulos e desejos somos homens da Idade da Pedra. A gente tem que aceitar isso, não tem nada de errado. Aceitando nossa essência, vamos conviver muito melhor com os outros. E, convivendo, criamos relações que vão permitir desenvolvermos outras coisas. *Networking* não é trocar cartão de visita. Não é ligar só quando se precisa de um favor. É criar relação e amizade verdadeiras. A pessoa tem que dizer: "Poxa, eu gosto desse cara".

Quando vou fazer um projeto novo – quando abordei John Casablancas ou Donald Trump (contarei essa história daqui a pouco), ou qualquer que seja a pessoa –, posso assegurar o seguinte: em um primeiro momento, no primeiro encontro, não falo nada de negócio! A ideia é estabelecer empatia, sintonia, conexão. Quero saber quem é aquele cara! Quem é você? Do que você gosta? Qual é a sua agenda? Porque senão não quero fazer negócio com o cara.

Chega um momento da vida em que você não quer, não precisa e não vai fazer negócio com qualquer pessoa. Porque você já sabe que vai dar problema. A única coisa boa à medida que você vai ficando mais velho é que você já sabe mais coisas. Não sabe tudo, não tem bola de cristal, mas sabe muito mais. E saber determinar com quem você quer estar é uma grande virtude.

É bom quando você tem oportunidade de estabelecer uma conexão, quebrar o gelo, criar um momento de relaxamento, mostrar seu conhecimento – mas conhecimento você não mostra com pesquisa, com tecnicalidade. Não. Você mostra de forma não verbal, com *body language*, com a expressão, fazendo o cara perceber sua espontaneidade, que você não está preocupado com as palavras corretas. Não está preocupado em ler texto, tipo operador de *telemarketing*, que decora aquilo tudo e, se for interrompido no meio, não conseguirá continuar a conversa porque não está preparado para interrupções – se fazem uma pergunta no meio, o operador de *telemarketing* fica louco e perde o fio da meada. Não se preocupe em errar. Preocupe-se em ser você mesmo. Essa é a grande diferença.

Este tem sido um de meus mantras – foco e simplicidade. O simples pode ser mais difícil do que o complexo: é preciso trabalhar duro para limpar seus pensamentos de forma a torná-los simples. Mas no final vale a pena, porque, quando chegamos lá, podemos mover montanhas.

– Steve Jobs

CAPÍTULO 4

TENHA FOCO: A LEI DOS TRÊS MINUTOS

ASSISTA UM VÍDEO DO RICARDO BELLINO

1. Baixe o App ZAPPAR
2. Aponte para a página

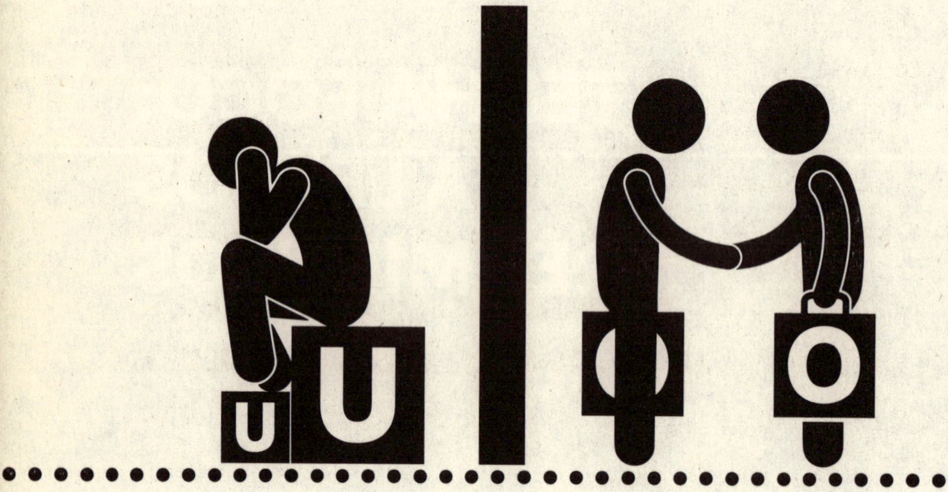
U
U
O
O

Quando ele me recebeu em seu escritório, disse que eu só tinha três minutos para vender a ideia. Obviamente me pareceu meio antipático. Eu tinha viajado nove horas para apresentar um projeto em uma reunião – e a reunião fora convocada por ele. Respondi devolvendo algumas perguntas: se ele sabia que o Brasil tem a segunda maior frota de jatos privados do mundo e a segunda maior frota de helicópteros privados do mundo, se sabia que São Paulo é a cidade com maior número de helipontos do mundo. Se tinha algum conhecimento sobre as vendas da Ferrari, da Porsche e da Louis Vuitton no Brasil.

Quando percebeu que estava sendo comparado a Ferrari, Porsche, Louis Vuitton e outras marcas de luxo, aquilo abriu a mente dele, pois é uma pessoa muito vaidosa. Então, naqueles três minutos, aconteceu o que chamo de amor à primeira vista.

Nosso primeiro contato – por telefone – havia sido muito simpático, ele ligou em resposta a uma carta de recomendação de John Casablancas. As pessoas são mais acessíveis do que parecem ou do que imaginamos. Ligou curioso por causa da carta que tinha recebido de Casablancas, um amigo de muito tempo, e queria saber que história era aquela que a gente queria conversar com ele. Dos 15 minutos que ficamos ao telefone, 80% foi falando anedotas – "cadê o John?", "cadê as mulheres?", "como é isso, como o cara deixa Nova York para casar com uma brasileira?". Nos dois minutos finais, ele entrou no assunto: "Bom, me conta como é esse projeto que você tem?". Expliquei rapidamente, mandei uma apresentação por e-mail, e ele respondeu já marcando um horário comigo.

Uma semana depois, quando cheguei à reunião, o homem estava de mau humor e disparou a sentença de morte: "Você tem três minutos". O que ele queria dizer mesmo era "Você tem três minutos para ir embora da minha sala", só não falou esta última parte. Mas era o que ele queria. O sujeito estava de mau humor, com problemas, tendo que resolver uma série de questões, não queria ouvir sobre um negócio novo, não estava no clima para isso.

Só que não me intimidei e consegui virar a dinâmica da conversa. O que fiz, faço e gosto de fazer é provocar constrangimento nos outros. Porque o constrangimento tira a pessoa da zona de conforto. Então, já sabe: se você quiser me fazer uma ofensa, prepare-se, porque não vou botar o rabo entre as pernas e ir embora chorando. Não vai acontecer.

Acho que esse nível de atrevimento foi o que chamou a atenção dele para me ouvir mais. Realmente consegui colocá-lo em uma situação em que ele não tinha condições de responder, pois desconhecia a realidade brasileira do consumo quase compulsivo de artigos de luxo pagando um prêmio por termos uma das maiores cargas tributárias do mundo. No Brasil os produtos custam muito mais caro do que, por exemplo, nos Estados Unidos. A mesma Ferrari que custa 500 mil dólares lá, aqui custa mais de um milhão de dólares, e temos fila de espera para comprar – e ele não tinha noção disso. Quando consegui me posicionar na conversa, mostrando que na indústria de luxo brasileiro já existiam várias marcas com espaço no mercado, ele abriu os olhos.

Falei então que o mercado imobiliário brasileiro estava maduro para receber uma marca de luxo e que era o momento dele. Aí acabou. Obviamente a conversa durou mais de uma hora, depois ele chamou o procurador para que fosse comigo para uma sala de reunião e não me deixasse sair de lá sem assinar uma carta de intenções. Vinte e quatro horas depois, saí do escritório com uma carta de intenções assinada. Isso demonstra o quanto você precisa se preparar emocionalmente para enfrentar situações que não estão em nenhum livro.

A forma como me adaptei mostra a essência do sucesso em qualquer negociação. Destaquei quatro princípios fundamentais a partir dessa história, e conhecer esses princípios é de extrema importância. Só isso não basta, pois negociação não é uma competência cognitiva, é comportamental. O que importa mesmo não é o que você sabe, mas como você aplica o que sabe. Portanto, é necessário transformar conhecimentos em comportamentos e hábitos, o que requer muito treinamento inteligente.

Primeiro princípio fundamental:

Estado mental e emocional rico de recursos, foco e paixão por vencer

O sucesso começa pela administração do estado mental e emocional do negociador. Quando fui surpreendido por Donald Trump, consegui manter um estado mental e emocional rico de recursos e assim pude fazer frente à situação. Caso tivesse perdido o controle mental e emocional, jamais teria tido sucesso na negociação.

O fato é que mesmo pessoas ultracompetentes podem cometer erros de grande magnitude ao mergulhar em estados mentais e emocionais fracos de recursos. Foi o caso de Jack Welch, então CEO da gigante General Electric, na compra da Kidder Peabody, negociação que redundou em prejuízo de US$ 1,2 bilhão para a GE. Na reflexão para identificar os motivos do erro, Welch percebeu que, em função dos êxitos anteriores, havia se tornado orgulhoso – e que a linha que separa a autoconfiança do orgulho é muito tênue. Em suma, cuidado com aquilo que chamo de VOA: vaidade, orgulho e arrogância.

É o estado mental e emocional rico de recursos que permite manter o foco naquilo que se quer. Perder o foco é muito fácil, e quem perde o foco se afasta da possibilidade de alcançar os seus objetivos. Segundo Chris Argyris, psicólogo e autoridade em comportamento organizacional, o foco caótico é uma das principais causas da baixa efetividade. (Além do foco caótico, existem outros, como o equivocado, o bode cego e o contaminado, sobre os quais falaremos mais adiante.)

É o estado mental e emocional rico de recursos que também permite manter acesa a chama da paixão por vencer, e é a paixão por vencer que faz com que as pessoas se lancem em empreendimentos ousados. Sem paixão por vencer, as pessoas acabam ficando na área do conforto. De acordo com o psicólogo Albert Ellis, criador da terapia racional-emotiva-comportamental (TREC), a paixão por vencer, que ele chama de determinação implacável, representa três quartos da vitória.

Eu soube administrar meu estado mental e emocional, continuar focado no relevante e manter acesa a chama da paixão por vencer, três pontos essenciais da autogestão. E a autogestão é fundamental para o sucesso nas negociações, ou melhor, para o sucesso em qualquer área da vida.

Segundo princípio fundamental:
Qualidade da preparação para a negociação

Cheguei ao escritório de Donald Trump muito bem preparado para negociar. Eu tinha clareza do que queria e de como conseguir o que queria; também conhecia muito bem as características do meu interlocutor. Preparação é sempre fundamental, e nunca é demais enfatizar que a maioria das negociações se ganha ou se perde de acordo com a qualidade da preparação.

Já por volta de 1750, Benjamim Franklin dizia: "Quem não leva a sério a preparação de algo está se preparando para o fracasso". A preparação tem três momentos importantes. O primeiro é ter clareza do que se quer. O segundo é saber como conseguir o que se quer. O terceiro é conhecer bem as características da pessoa com quem se está negociando.

Quem está muito bem preparado consegue se sair muito melhor nas situações mais imprevistas e adversas. Uma ótima preparação envolve ver a situação pela ótica de todas as partes envolvidas e a análise de risco da situação. É preciso estar preparado para o melhor e prevenido para o pior. Obviamente, preparação compreende o planejamento de tudo o que deve ocorrer até a definição dos termos do acordo.

Existem alguns instrumentos bastante úteis para a preparação de uma negociação, entre eles, a teoria de campo de força de Kurt Lewin. Conhecer as estratégias e táticas éticas e não éticas de informação, tempo e poder, bem como o estilo comportamental do outro negociador, é fator determinante para o sucesso.

Terceiro princípio fundamental:

Motivo dominante de compra

Em apenas três minutos, encontrei e instiguei o motivo dominante de compra de Donald Trump. Quando falei da grande demanda de artigos de luxo no Brasil e o comparei a marcas como Ferrari e Porsche, o ego o fez abrir os olhos. Acredite, o ego tem um poder enorme sobre todas as pessoas, elas tomam decisões de acordo com o ego a todo momento e nem percebem.

Motivo dominante de compra é aquilo que toca profundamente a emoção de uma pessoa e a faz tomar uma decisão quase que instantânea. Vejamos mais um exemplo: uma corretora de seguros estava tentando vender uma apólice para um executivo sem o menor êxito. Em uma de suas visitas, ela avistou um livro de astrologia na biblioteca do executivo e fez uma observação sobre o assunto. Na mesma hora o homem abriu um sorriso e começou a falar de astrologia. Você pode não acreditar, mas existem executivos de sucesso que recorrem à astrologia. A partir daí, esse executivo passou a fazer todos os seus seguros com a corretora.

Um casal se mudou para uma nova cidade e começou a procurar residência. Olharam inúmeros imóveis, mas a esposa não encontrava nada de seu agrado. Em uma visita, após a corretora abrir a porta e entrarem, a esposa disse: "Abra a porta novamente". A corretora abriu e fechou a porta, a esposa olhou para o marido e disse: "Esta porta range que nem a porta lá de casa. Já me sinto em casa aqui. Vamos comprar esta".

Uma pessoa queria comprar uma casa, e o corretor descobriu que o cliente gostava muito de certo tipo de árvore que lhe lembrava da infância. Sabendo disso, o corretor focou nas árvores, ou seja, no motivo dominante de compra; assim, conseguiu fechar a venda de 17 árvores e, de quebra, de uma casa.

Um vendedor de enciclopédias percebeu que um cliente potencial ficara muito interessado na linda Bíblia que era oferecida como brinde a quem comprava a coleção. Como decorrência, vendeu a Bíblia e deu a enciclopédia de brinde para esse comprador.

Lembre-se: o motivo dominante de compra – seja ele qual for – é uma força de imenso poder.

Quarto princípio fundamental:
Competência para fazer perguntas

Os bons negociadores são bons perguntadores e perguntam mais do que o dobro dos negociadores comuns. Perguntar é uma forma de imensa eficácia para colocar a mente para funcionar e obter respostas. O filósofo grego Sócrates, com sua maiêutica, já sabia disso. E o cientista Jonas Salk dizia: "A resposta para qualquer problema preexiste. Precisamos fazer a pergunta certa para obter a resposta".

Foi o que eu fiz. Quando Donald Trump me concedeu três minutos para convencê-lo, fiz perguntas. A primeira, para mim mesmo: o que faço agora para vender meu projeto e convencer esse cara? A seguir, fiz cinco perguntas para ele. Se ele sabia que o Brasil tem a segunda maior frota de jatos privados do mundo. Se ele sabia que o Brasil tem a segunda maior frota de helicópteros privados do mundo. Se ele sabia que São Paulo tem o maior número de helipontos do mundo. Se ele sabia o volume das vendas de Ferraris e Porsches no Brasil. Se ele sabia o tamanho do mercado da Louis Vuitton no Brasil.

Essas perguntas atingiram o motivo dominante de compra de Trump. Quando isso acontece, a pessoa decide num estalar de dedos – e Donald Trump aceitou participar do empreendimento no Brasil.

Lembre-se: para fazer as perguntas certas, é preciso estar muito bem preparado.

Tenha sempre na cabeça que, se quiser alcançar um objetivo – e isso só pode ser feito mediante um acordo com outra pessoa –, você vai precisar negociar. Existem muitas modalidades de negociação – venda, compra, gerencial, solução de conflitos, sindical, de associações e de *joint-ventures*. Nas empresas, de uma forma ou outra, passa-se mais de 60% do tempo negociando. Mas não é só nas empresas. O casamento também é uma grande negociação, e há quem diga que é a mais difícil de todas.

Lembre-se: o estado mental e emocional, o foco, a paixão por vencer, ou seja, a autogestão, bem como a preparação, o motivo dominante de compra e as perguntas certas fazem a diferença entre sucesso e fracasso. Além disso, não esqueça: em uma negociação, o simples conhecimento está longe de ser suficiente. É preciso desenvolver competências comportamentais e hábitos para aplicar o que se sabe, e isso só é possível mediante um treinamento inteligente em negociação.

Perguntas para saber se você é um *full of shit*

> Em três minutos ele me convenceu, e agora temos um ótimo projeto sendo desenvolvido no Brasil.
>
> – Donald Trump, empresário e presidente dos Estados Unidos

Ninguém vai poder dizer: "E se o cara falar que você só tem três minutos? É impossível". Já vimos que o impossível não existe. Não se deixe desestabilizar emocionalmente em uma situação como essa. Porque no fundo, mesmo que inconscientemente, é isto que o outro quer: desestabilizar você. "Vamos ver se você é bom mesmo! Fale o que você quer em três minutos!"

Digamos que você queira vender um negócio para Bill Gates, o fundador da Microsoft. De repente ele entra no elevador onde você está. Você não está preparado. A apresentação está na pasta, aquele elevador vai subir, e você vai ter dois minutos. E aí? Acontece, muitas vezes. Então, naquele momento, você precisa aproveitar a oportunidade. Se você conhece a sua proposta, a sua ideia, vai ser possível defendê-la em três minutos. Ou dois, não importa.

Em muito pouco tempo, em poucos segundos ou minutos, você precisa causar uma primeira boa impressão. Não tente falar bonito, acertar, fazer um PowerPoint bacana, se não está claro na sua cabeça que você é sua marca mais importante. E marcas são criadas, construídas, a partir de valores. Ética, honestidade, inovação, empreendedorismo são atributos da sua marca. Você precisa se posicionar independentemente do setor em que queira atuar.

Marcas precisam se renovar, senão ficam obsoletas. A Coca-Cola se renova, as grandes marcas do mundo se renovam, e nós também temos que nos renovar, pois estamos nos vendendo o tempo todo. As pessoas compram você primeiro, não as suas ideias. Acredite no que estou dizendo. Quando ouvia meu querido amigo John Casablancas, que não está mais aqui conosco, era a alegria, o entusiasmo de fazer coisas que atraía as pessoas, que as fazia querer estar perto.

O cara vai olhar para você e em poucos minutos vai sacar se você é *full of shit*, cheio de conversa fiada, ou se de fato pode entregar o que anuncia. Porque ele sabe que o desafio de tirar um projeto da dimensão utópica para a dimensão concreta demanda uma grande jornada. Tem várias etapas, vários processos e várias dificuldades. Seu interlocutor precisa entender que você é aquele sujeito atrevido, corajoso e destemido que vai entregar. Não tem problema se não der certo, você vai pelo menos tentar. A pessoa compra essa capacidade, esse entusiasmo.

Se a sua ideia é boa, se você confia nela, foque no que realmente importa. Se você não é capaz de mostrar entusiasmo em três minutos sem uma apresentação ou qualquer outro ornamento, possivelmente sua ideia não é tão boa assim.

Vou apresentar a seguir uma série de perguntas que normalmente você vai ouvir. O curioso é que elas nem sempre perguntam exatamente o que é dito. Na verdade, a partir da sua resposta, caras como Trump avaliam sua postura, sua atitude. Isso vale para negociações, para entrevistas de emprego ou para qualquer tipo de primeiro contato. Vamos lá.

Como você se descreve (ou sua ideia ou negócio) em uma palavra?

- **SIGNIFICADO DA PERGUNTA**
  O interlocutor quer entender melhor o seu negócio. Obviamente que em uma palavra não dá para saber isso

- **O QUE REALMENTE IMPORTA**
  O seu nível de entusiasmo. A ideia é descobrir se você realmente acredita que a ideia é fantástica.

- **RESPOSTA**

    "Incrível", "fantástico", "maravilhosa" (a ideia). O nível de entusiasmo é o que conta, lembra? Então, exagerar é a alma do negócio mesmo.

    ~

    Por que essa ideia é melhor do que outras que você já teve (ou outros negócios ou empregos)?

- **SIGNIFICADO DA PERGUNTA**

    Aparentemente, o interlocutor quer saber quais foram os seus sucessos, outros projetos, empregos ou negócios em que você já se envolveu.

- **O QUE REALMENTE IMPORTA**

    Na verdade, ele quer saber se você tem outra proposta. Se você já apresentou a ideia para outro investidor ou se tem outra proposta de emprego no caso de uma entrevista.

- **RESPOSTA**

    "Tenho outras propostas e avaliarei as condições para tomar a decisão final." Não diga que vai dar prioridade para ele. Vai parecer que você fala isso para todo mundo. Responda isso mesmo que não tenha outras propostas. A ideia é ele acreditar que tem concorrência, para não fazer a oferta mais baixa possível.

Por que você me procurou?
Como chegou a mim?

- **SIGNIFICADO DA PERGUNTA**

    Aparentemente, o interlocutor quer saber quem passou o contato para você, quais os motivos da sua admiração pelo trabalho dele.

- **O QUE REALMENTE IMPORTA**

    No fundo, ele quer saber se você não está simplesmente usando-o para conseguir financiamento para o seu projeto. Esses caras não fazem nada que pareça um gasto, eles precisam acreditar no propósito para "investir", e não "gastar".

- **RESPOSTA**

    "Olha, escolhi você porque você faz X ou Y." A ideia é saber o que move aquela pessoa. Pode ser vaidade, motivação política, qualquer coisa. Mas não apenas dinheiro. Você tem que saber o propósito do cara. Estude-o antes, saiba por onde pode fisgá-lo. Seja analítico, frio. Aqui a resposta com apelo emocional vale mais do que o entusiasmo.

Tem alguém com quem você não trabalharia de jeito nenhum?

- **SIGNIFICADO DA PERGUNTA**

    Aparentemente, o interlocutor quer saber se você teve algum problema direto durante a sua carreira, se isso pode prejudicar no negócio, cargo ou ideia.

- **O QUE REALMENTE IMPORTA**

    Ele quer saber se você é estourado ou tem autocontrole. Normalmente, por você ter mostrado entusiasmo no início, ele quer testar sua capacidade de foco e determinação, quer comprovar que você não é fogo de palha e que não desiste na primeira dificuldade.

- **RESPOSTA**

    Jamais diga que perde as estribeiras facilmente. Transforme em algo positivo. Diga: "Tive a sorte de trabalhar com pessoas talentosas e qualificadas até aqui. Se ocorreu algum percalço, sempre foi para o bem do objetivo coletivo. Então, não tenho problemas pontuais com ninguém". Aqui você precisa parecer sincero e frio. Deixe o entusiasmo de lado agora, não pareça passional.

O que você faria se ganhasse um milhão amanhã?

- **SIGNIFICADO DA PERGUNTA**

    Aparentemente, o interlocutor quer saber qual é o seu ímpeto empreendedor, em que você investiria.

- **O QUE REALMENTE IMPORTA**

    Na verdade, ele quer saber qual é o seu propósito agora. O que o motiva. Se você agiu corretamente até aqui na conversa, já mostrou que conhece o propósito dele. Já o fisgou. Agora ele quer fisgar você. Use isso a seu favor.

- **RESPOSTA**

    Essa pode ser a pergunta final. O xeque-mate da negociação. Pode determinar se ele aceita sua proposta, ou se o contrata, ou se investirá na sua ideia. Conte o seu propósito. Seja sincero. Não responda coisas vãs como "compraria uma Ferrari". Nada disso. Fale com brilho nos olhos sobre o que você espera e no que acredita realmente.

Somos seres sensíveis e intuitivos, para o bem e para o mal. A gente pode condenar alguém em minutos, sem sequer conhecer a pessoa. Você com certeza já olhou alguém e pensou: "Não fui com a cara desse sujeito". O outro não abriu a boca. Às vezes a gente comete esses erros. Eu já fiz isso. Em outras vezes, você tem uma primeira impressão extraordinária e acaba decepcionado. O que estou dizendo é que o processo mental de pré-julgamento existe e é muito forte. Não subestime essa capacidade – tanto de avaliar outras pessoas, quanto de se posicionar, pois você também está sendo avaliado pelos outros o tempo todo. Estamos nos avaliando e avaliando outras pessoas o tempo todo, sem parar.

Pequenas coisas podem fazer uma grande diferença. A maneira como você se relaciona com as pessoas, por mais importante que você seja, por mais autoridade que tenha, por mais dinheiro que possua, por melhor que seja a vida que tenha construído. Nada justifica você perder o contato com as pessoas, não ter a simplicidade e a humildade de apertar a mão de um funcionário e olhar nos olhos dele todos os dias.

Donald Trump tem um diferencial: ele fala o que pensa – e o que a maioria das pessoas pensa, mas não tem coragem de falar. Ele se atreve a tocar em assuntos muito delicados que a comunidade política – porque é política – não tem coragem de falar. O político tem que ser politicamente correto. Trump é politicamente incorreto. Esse é o diferencial dele, a marca registrada. Não importa se você concorda com ele ou não, se tem posições e convicções políticas diferentes. Aqui estamos analisando a postura dele. Que deu certo. Trump foi eleito presidente dos Estados Unidos. Está tocando em temas muito sensíveis, e o público está gostando. Ele é uma pessoa com capacidade intimidadora.

Você encontrará muitos Trumps em sua jornada, disso não tenho dúvida. E sim, eles serão arrogantes, como aconteceu comigo: "Você tem três minutos para apresentar sua ideia". Ao escutar isso, não haja como um *fudido*, colocando o rabo entre as pernas. Nesse estágio, antes mesmo de falar da sua ideia, sua postura e atitude são o que conta. Seja capaz de apresentar sua proposta nesse espaço mínimo de tempo. Se você realmente acredita na sua ideia, vai ser capaz.

O poder do entusiasmo

Agora, deixando de lado a fachada arrogante, aprendi bastante com o atual presidente norte-americano. Donald Trump reforçou algumas convicções que eu tinha. Amplificou muito um conceito em que acredito e que ele defende com veemência dizendo: "Se você não promover sua própria história, sua própria marca, ninguém vai fazer isso. Você é a sua melhor marca". Ele é mestre nesse negócio. "Você é a sua melhor marca." Valorize-se, promova-se o máximo que puder, porque os outros não o farão. Eles nem saberão que você existe se você não fizer esse trabalho. No fim das contas, é isso que faz você resistir aos altos e baixos.

Trump não vende apartamentos. Vende sonhos. Vende uma demanda reprimida. Vende *uniqueness*, o que é exclusivo, *premium*, para poucos. As pessoas querem acesso a isso. Trump criou uma marca e a posicionou muito bem. Criou um objeto de desejo. Ele faz isso muito bem, é o Midas desse negócio.

Claro que Trump tirou imenso proveito de algumas oportunidades. Por exemplo, quando se tornou apresentador de *The Apprentice*, que foi um grande sucesso na TV. O programa deu a ele uma face pública. Mesmo explorando o lado um pouco desagradável e caricato de Trump, as pessoas acabaram achando-o mais simpático. E isso virou uma marca registrada. No programa de TV, ele alimentava o sonho da oportunidade, da volta por cima. Trump aproveitou muito bem o espaço midiático, criou uma plataforma incrível, se tornou muito mais popular. Com certeza isso alavancou sua vida política, sua fama se expandiu dos cassinos em Atlantic City e dos hotéis e empreendimentos de luxo. Ele adquiriu outra dimensão, não só nacional, mas também internacional.

Trump é muito hábil e tem capacidade de se expor e de colocar sua opinião com muita força, com muita convicção. Se ele acredita, mas você não, ele fará você acreditar. E é isto o que importa: fazer-se acreditar. Confesso que foi uma experiência muito interessante a que vivi com ele. Desfrutei muito desse relacionamento pontual. Não desenvolvi com Trump a mesma amizade que construí com John Casablancas, que era muito mais íntima e cúmplice, tipo pai e filho, pois havia uma diferença muito maior de idade, era outro momento.

Com Casablancas eu era um aprendiz que acabou desenvolvendo um relacionamento com o mestre e passou de aprendiz a mestre, porque, depois de um tempo, já não havia mais uma relação de dependência, mas de parceria. Com Trump foi uma relação interessante de admiração, de curiosidade. Tivemos momentos muito simpáticos e muito bacanas e desenvolvemos uma amizade.

O projeto da Trump Organization no Brasil nunca saiu do papel, acredite se quiser. Ganhei muito dinheiro porque criamos um fundo de investimentos aqui, capitaneado pelo nome Trump. Ele não investiu um tostão, era dinheiro de investidores brasileiros. Constituímos a companhia, compramos a propriedade, desenvolvemos os projetos, assinamos os contratos de arquitetura, e em determinado momento houve um conflito entre mim e os sócios, que queriam seguir outro caminho. Um dia, na reunião do conselho de administração, meus sócios disseram: "Achamos que a marca Trump não agrega valor ao projeto". O que você responde para um grupo de acionistas desse tipo? A única coisa possível: "Entendo, respeito, mas não compartilho".

Em função dessa crise, vendi minhas participações superbem. Graças a esse negócio não ter saído do papel, mudei completamente a dimensão da minha vida. Continuei amigo de Donald Trump, prospectamos negócios, olhamos outras coisas e construímos uma relação muito positiva, uma agenda muito positiva. Às vezes os negócios não dão certo, mas as pessoas e as relações são preservadas. Isso é o mais importante. Essa é a grande mensagem aqui. Isso a gente tem que valorizar.

O maior patrimônio que temos de construir, na minha opinião, chama-se entusiasmo. É o maior patrimônio que você pode deixar de herança para um filho. A crença de que ele pode fazer o impossível, de que ele pode e deve acreditar no sonho dele, de que ele deve perseguir o sonho dele. E a crença de que ele não deve admitir que ninguém destrua ou questione a capacidade de fazer o impossível, mesmo que de início ele não tenha tal capacidade. Com entusiasmo ele poderá se expor, tentar, arriscar, porque, no fim das contas, é isso que vai fazer dele uma pessoa diferente.

Mesmo que suas ideias não deem certo, mesmo que seus projetos fracassem, você vai ter construído a reputação de agregador, de empreendedor da vida, de entusiasta. Não apenas empreendedor de negócios, mas também empreendedor da vida. Quando emprestei minha capacidade empreendedora para trazer ao Brasil uma campanha contra o câncer de mama que impactou diretamente mais de dez milhões de mulheres (vou contar essa história mais adiante), construí um propósito de vida. A gente tem que ter uma visão maior.

Não tem nenhum problema ser rico, conquistar coisas materiais. Isso é consequência. Ser rico não é objetivo, ser rico é consequência. Acumular um patrimônio é consequência de uma trajetória de histórias de sucesso que você conseguiu construir. Mas a trajetória também tem muitos fracassos.

Agora, qual é o seu propósito de vida? O que faz você erguer a cabeça quando enfrenta um momento de escuridão? Você é maior do que as ideias que tem. Você é maior que o negócio que tem. Você é um entusiasmado, é um transformador de vidas, um agregador.

Mudar a percepção e a consciência das pessoas é o meu propósito hoje. Isso é que faz a diferença. É isso que nos faz seres humanos melhores e maiores. Porque um dia a gente vai morrer e vai deixar um legado. Ou não vai deixar nada nesse mundo. Você decide.

Deixar alguns milhares de dólares, ou mesmo milhões de dólares, pode ser que não sirva para nada e não transforme a vida de ninguém. Mas, se você construir uma vida de realizações e tiver um propósito, aí, sim, vai impactar outras pessoas. Elas vão acreditar, como você, que podem fazer o impossível. E, se elas acreditarem nisso, você terá feito uma imensa transformação e algo de positivo nesse mundo.

Você deve ter uma ideia "ardendo" dentro de você,
ou um problema, ou um erro que queira corrigir.
Se não tiver paixão suficiente desde o início,
você não vai chegar até o final.

– Steve Jobs

CAPÍTULO 5

NINGUÉM VAI ACREDITAR SE VOCÊ NÃO ACREDITAR PRIMEIRO

ASSISTA UM VÍDEO DO RICARDO BELLINO

1. Baixe o App ZAPPAR
2. Aponte para a página

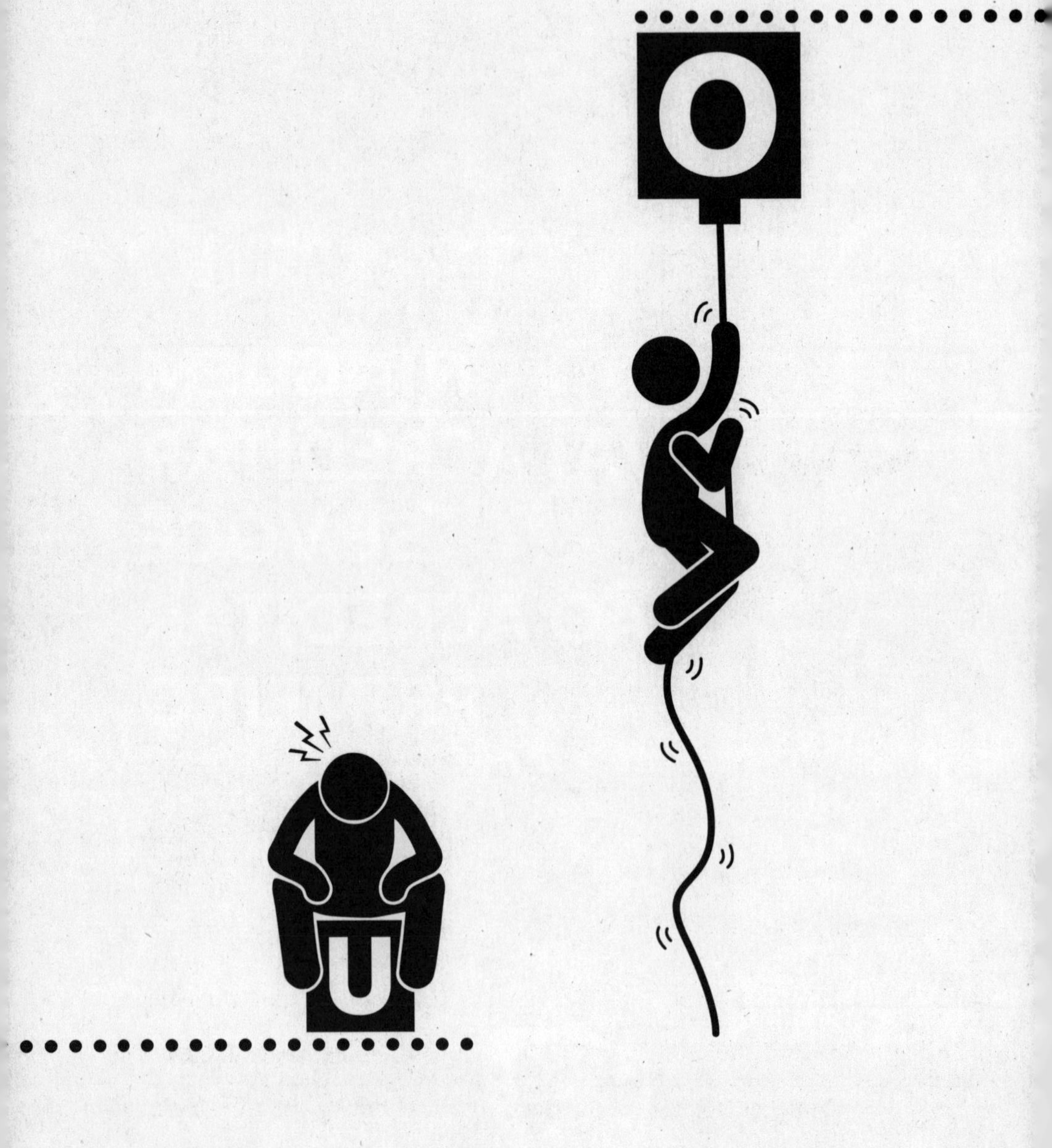
O
U

INDEPENDENTEMENTE DE QUAIS SEJAM OS SEUS VALORES, **ACREDITE QUE VOCÊ PODE!**

Você não vai ficar dependendo de que eu ou alguém faça alguma coisa para chegar lá. Posso até abrir a porta para você, não tem problema nenhum. Sua ideia é boa? Se eu gostar e acreditar, vou pegar o telefone e posso apresentá-lo a alguma pessoa. Não estou endossando, estou facilitando. Não tem problema, a vida é isso, é legal fazer isso. Agora, você está pronto?

Eu digo o seguinte: uma ideia mais ou menos boa com um cara muito bom arrebenta. Uma ideia muito boa com um cara muito ruim – um *fudido* – não sai do papel, porque o sujeito vai estar sempre procurando a forma perfeita, o momento perfeito.

"Agora o mercado está ruim, não podemos fazer isso. Agora o mercado está horrível, então vamos guardar na prateleira."

Não existe momento perfeito. Quem faz o momento somos nós. Quem cria o produto somos nós. Não é o cliente que diz qual produto ele quer comprar. Somos nós que dizemos a ele qual produto ele tem que comprar. Senão, que papel nós temos nesse mundo? Se o cara vai dizer o que eu tenho que falar, não tem graça. A ideia aqui é criar a partir do nada uma coisa que cresce como bola de neve, se materializa rapidamente, é bonita, acontece, e tudo isso sem sofrimento.

Um dia eu estava tomando café em Nova York com minha mulher, uma artista plástica e escultora muito talentosa. Ela adora tudo da Nespresso. Me enlouquecia com isso. Queria máquina da Nespresso, cápsula da Nespresso etc. Ao observar um painel feito de cápsulas exposto em uma mesa da cafeteria, ela disse: "Nossa que bonito. Acho que eu poderia fazer uma obra, uma instalação com essas cápsulas". De repente me deu um estalo.

"Calma, estou aqui visualizando uma possibilidade", eu disse a ela.

"Lá vem você com suas loucuras", replicou ela.

"Calma, preste atenção no raciocínio. Temos aqui cápsulas de alumínio que poderiam se transformar em pixels físicos. Que tal se as diferentes cores dessas cápsulas pudessem se transformar em uma paleta de cores?"

Imagine juntar 150 mil cápsulas e criar uma coleção de arte retratando grandes personalidades do mundo e expor em uma galeria do Soho, bairro de Nova York famoso pela enorme oferta nas áreas de cultura e entretenimento. Nada mal para quem nunca pintou nada – a não ser o sete. Imagine também estar na parede de grandes figuras como o escritor *best-seller* Paulo Coelho, Donald Trump e Mark Zuckerberg, do Facebook. Bem, tudo isso é muito bacana, mas o objetivo da ideia não era demonstrar uma capacidade criativa ou me lançar no mundo das artes, não havia essa ambição.

Percebi a possibilidade de reciclar aquele material às vésperas de ser descartado, transformando-o em algo e transmitindo uma mensagem ao mundo. Na hora, visualizei uma celebração à excelência, uma homenagem a pessoas que tiveram trajetórias significativas, como Nelson Mandela, Marilyn Monroe, Lady Di, Barack Obama, Pelé, Ayrton Senna. Enxerguei claramente o que seria, mas não tinha ideia de como fazer. Até encontrar por acaso um velho conhecido dias depois, em outro país. Era o fotógrafo Reinaldo Coser, mais conhecido como "O Colecionador". Foi na casa dele, há 25 anos, que tive o primeiro contato com a história da Elite ao ler a reportagem na revista *Photo* e tive o estalo de trazer a agência de modelos para o Brasil. Reencontrei esse cara um quarto de século depois na fila do aeroporto de Guarulhos, indo para Miami.

Fomos juntos à *Arte Miami*, uma exposição patrocinada pela Nespresso, e falei da ideia para ele. Reinaldo, um aficionado colecionador de Lego, recomendou um software livre na internet que os colecionadores usam para criar seus painéis. Fiz o download desse software que desconstrói imagens e constrói painéis com peças de Lego e simulei o primeiro painel com Angelina Jolie. Quando enxerguei Angelina construída por aquelas pecinhas, falei: Isso funciona! Mas o software não fazia com as cápsulas de café o que fazia com as peças de Lego.

Fui em busca de outras fontes. Expliquei minha ideia para outro querido amigo, Wellington Amaral, grande diretor de cinema publicitário e diretor de arte talentosíssimo, com quem tenho relação de muitos anos. Ele pediu um tempo e logo apareceu com a solução definitiva. Fotografou as cápsulas nas 12 cores, no Photoshop substituiu os pontos fixos pelas cápsulas e montou o primeiro painel para mim, do ex-presidente norte-americano John Kennedy. E fez tudo isso sem nenhum interesse comercial.

Eu sou o porta-voz, o visionário, mas não faço nada sozinho. Tive a ideia em novembro de 2008. No dia 24 de dezembro, veio a confirmação do apoio da Nespresso com a doação de 150 mil cápsulas, recebidas na primeira semana de janeiro. O primeiro quadro, de Kennedy, ficou pronto ainda em janeiro de 2009. O painel foi doado para uma instituição comandada por um sobrinho de JFK, a Best Buddies, que cuida de crianças excepcionais. A primeira exposição foi em Boston, em fevereiro de 2009.

O importante desse projeto, que recebeu o nome *Pixtures*, era enviar a mensagem de que, juntando pontos, você pode criar uma nova visão. Também era preciso um propósito. Então decidimos doar, para grandes instituições filantrópicas ao redor do mundo, o acervo produzido. Imagine poder oferecer suporte a instituições como a Liga de Combate ao Câncer de Genebra, que, em um baile de gala oferecido pela Fundação Polo Ralph Lauren, arrecadou 30 mil francos suíços vendendo uma das peças doadas por nós.

Ainda foram realizadas exposições em Montreal, no Canadá, e no Soho, em Nova York, de 18 de junho a 6 de julho de 2009, em uma galeria belíssima, de sete mil pés quadrados, na esquina mais badalada no bairro. Estiveram lá Afonso de Mônaco, sobrinho do príncipe Alberto, que foi receber o quadro de Grace Kelly que doamos para a fundação dela; o embaixador do Brasil nos Estados Unidos; o presidente do British Memorial Garden de Nova York, uma instituição criada em memória de Lady Di, à qual foi doado o quadro da princesa.

No Brasil, para mim, era importante demonstrar a possibilidade de pegar um objeto tão inexpressivo como uma coisa usada que vai se tornar lixo e, a partir de uma ideia criativa, de um esforço para empreender, juntar as pessoas, obter o apoio de uma empresa, criar um tema e desenvolver o projeto. Mostrei que poderia transformar lixo em obra de arte.

Isso é propósito. Projetos precisam de propósitos, pessoas precisam de propósitos na vida. Não é simplesmente ser um veículo ou instrumento operacional repetitivo com o intuito de sobreviver. Você pode optar por uma vida maior. Para isso, precisa responder algumas perguntas.

No que você acredita? Quão longe você iria por um sonho? Você está batalhando por seu sonho? Ou está esperando seu pai pagar a passagem ou alguém pegá-lo pela mão e levá-lo até lá? Você está disposto a ser carteiro? Está disposto a correr atrás de uma oportunidade do outro lado do Atlântico? Você tem coragem de correr riscos? Esta é a única forma de conseguir: ter a coragem de errar, de cair e levantar, construir aquela que é a maior virtude do empreendedor – a resiliência, a capacidade de cair e levantar sistematicamente até acertar.

No pain, no game

O visionário Nolan Bushnell, fundador da Atari e primeiro empregador de Steve Jobs, é um exemplo do que estamos falando. Bushnell foi o Steve Jobs da sua época. Naquele tempo, a Atari, fabricante de videogames e outros produtos eletrônicos, era uma espécie de Apple de hoje. Bushnell e a Atari foram um divisor de águas no processo que impulsionou os videogames ao patamar de uma das maiores indústrias de entretenimento do mundo hoje.

Quando eu era garoto, levava os consoles Atari dos meus amigos a uma oficina eletrônica para fazer a transcodificação. Foi uma das minhas primeiras atividades na busca do meu espaço, no meu caminho empreendedor. Eu era um moleque inquieto, sempre querendo fazer alguma coisa, ganhar um dinheiro para poder ter a minha independência. O cara da oficina eletrônica me cobrava preço de revendedor, o que me proporcionava uma margem de lucro de 100%. Ele cobrava 100 no balcão, mas de mim cobrava 50; então, depois da escola, eu pegava um ônibus, levava os consoles lá e ganhava 50. Assim fiz meus primeiros dólares. Acho que foram US$ 300 que ganhei só fazendo esse serviço. E usei o dinheiro para investir na minha equipe de som, aquela que já mencionei, depois de levar foras das meninas.

O que acabou acontecendo é que abordei Nolan Bushnell, contei essa anedota de que havíamos trabalhado juntos, ele achou muito divertido e me convidou para almoçar.

"O que você quer de mim?", perguntou ele depois de três garrafas de vinho.

"Quero que você patrocine um projeto meu", respondi.

"Tudo bem, eu adoraria, mas o problema é o seguinte: estou quebrado. Estou literalmente falido."

Disso ficou uma mensagem muito interessante, que é: NO PAIN, NO GAME. Não é o tradicional NO PAIN, NO GAIN, sem dor, sem ganho. É NO PAIN, NO GAME mesmo, ou seja, sem dor, sem jogo. Com suas ascensões e quedas, Nolan Bushnell adquiriu uma bagagem enorme e uma autoridade para falar aos jovens que querem se aventurar em ser o próximo Steve Jobs. O primeiro livro que ele lançou, inclusive, chama-se Finding the Next Steve Jobs (Encontrando o próximo Steve Jobs).

Acredito muito no que o saudoso Roberto Civita, grande empresário brasileiro na área editorial, dizia: "O sucesso inspira as pessoas sem dúvida nenhuma. Mas é o fracasso que ensina". Essa é a bandeira da Escola da Vida, um projeto que desenvolvi com o empresário Janguiê Diniz e que explicarei mais adiante. É inspirar pelo sucesso, mas fazer com que as pessoas realmente aprendam pelo fracasso, aceitem o fracasso como uma possibilidade.

Fracasso não é uma obrigação. Você pode ter sorte. Agora, confesso a você: se alguém que não teve nenhum fracasso me propõe um negócio, esse cara eu não quero. Eu desconfio. Porque ele é virgem. Não tem a malícia necessária para poder enfrentar um primeiro problema – porque vai acontecer! Pode ter certeza. Se pode ter um problema, terá.

A Lei de Murphy existe, sim. Se alguma coisa puder dar errado, dará. As coisas nascem para dar errado. A verdade é que as possibilidades e as probabilidades de dar errado são enormes. Então temos que ter quase uma paranoia para minimizar as possibilidades de dar errado, para daí fazer dar certo. Ou pelo menos diminuir as chances de dar errado. É um processo comportamental que você assume, transforma em hábito e passa a aplicar em tudo na sua vida.

Além disso, sorte é uma questão de talento. Vou explicar melhor. Em todas as fases de consolidação de qualquer ideia, é possível detectar a combinação constante de intuição e planejamento estratégico. É isso que ocorre na hora de abordar os investidores, de escolher os colaboradores e de reunir todas as pessoas certas, no momento certo, para que o projeto se viabilize. Quando as coisas dão certo, muitas vezes pensamos na frase "O universo conspira a favor". Tudo vai se encaixando, "coincidências" facilitam o caminho, e a sorte parece estar do nosso lado – quem já não teve essa sensação?

Mas, se pensarmos bem, a chamada "conspiração do universo" não é algo místico ou sobrenatural, que nos beneficia de forma aleatória, sem que tenhamos feito absolutamente nada para isso. Fizemos, sim – e muito. Intuímos, planejamos, persistimos, trabalhamos, mantivemos a convicção em nossos propósitos e, apesar de todos os obstáculos, não permitimos que o entusiasmo esmorecesse.

E então todo esse esforço começa a dar frutos. As pessoas certas aparecem, não por sorte, mas porque as atraímos com nosso entusiasmo. As oportunidades surgem, não por acaso, mas porque preparamos o terreno para que pudessem surgir. Dá para dizer o seguinte: muita gente pensa que ter talento é questão de sorte; poucas pessoas, no entanto, pensam que a sorte possa ser questão de talento.

Vender uma ideia em três minutos não é uma questão de sorte. É uma questão de saber ouvir a intuição, saber se preparar, saber como causar uma boa impressão e saber como corresponder às expectativas. Tudo isso pode ser aprendido e aprimorado.

Existem dois tipos de pessoa que dirão que você não pode fazer uma diferença no mundo: aquelas que têm medo de tentar e aquelas que têm medo de que você realmente consiga.

– Ray Goforth

CAPÍTULO 6

NÃO DESISTA NA PRIMEIRA CRÍTICA

ASSISTA UM VÍDEO DO
RICARDO BELLINO

1. Baixe o App ZAPPAR
2. Aponte para a página

O
U

Em 1994 eu estava nos Estados Unidos durante a semana de moda de Nova York e vi um movimento dessa indústria chamando a atenção para um problema seriíssimo: 7 em cada 10 mulheres norte-americanas têm pré-disposição para desenvolver câncer de mama. Sob a liderança de Ralph Lauren, um dos ícones da moda norte-americana, criou-se uma camiseta para conscientizar a população, arrecadar fundos e apoiar investimentos e pesquisas no tratamento do câncer de mama. Vi a camiseta na vitrine da Ralph Lauren, achei a ideia legal, entrei na loja e comprei duas camisetas, 15 dólares cada. Pedi à secretária de John Casablancas que me conseguisse o press release da campanha. Cheguei ao Brasil e pensei: "Vou colocar meu espírito empreendedor a serviço de uma grande causa social".

Descobri que as mulheres brasileiras têm o mesmo potencial de desenvolver câncer de mama, com a diferença de que têm muito menos conhecimento a respeito. Com a falta de conhecimento, com a falta do autoexame, com a falta do "toque", muito mais mulheres no Brasil morrem de câncer de mama. Pensei que era chegada a hora de fazer alguma coisa pelo social. Como eu disse, precisamos ser movidos por um propósito.

Peguei as duas camisetas que havia comprado, fui a Blumenau e sentei diante de Fábio Hering, presidente da Companhia Hering, na época a maior fabricante de camisetas do Brasil, uma das maiores indústrias têxteis do país. Apresentei a ideia, e ele falou: "Bellino, desculpe contrariá-lo, mas essa campanha não vai dar certo aqui".

Fábio perguntou quantas camisetas haviam sido vendidas nos Estados Unidos, respondi que 300 mil. Ele calculou que no Brasil não venderíamos nem 30 mil, pois somos um décimo dos Estados Unidos. E, mesmo que conseguíssemos as modelos e as páginas de publicidade de graça – o que ele julgou impossível no primeiro momento –, teríamos que arcar com o custo de produção, e a venda de 30 mil camisetas não seria suficiente para viabilizar o projeto.

"Fábio, não vim aqui perguntar o que você acha da campanha. Vim aqui para dizer que vou fazer a campanha e perguntar se você me apoia", enfatizei. Ele disse que sim, que me apoiaria, se eu comprasse as camisetas.

"Vim aqui pedir camiseta de graça?", retruquei. Observem como o cara vai usando os argumentos.

"Mas olha, vou dar um conselho de quem entende desse negócio: o pessoal que é estilista de moda não gosta de pagar conta, não, é tudo no cartório. Adoram desfile, champanhe, flashes, Caras, mas pagar conta não é com eles, não", advertiu Fábio.

Reiterei que faria a campanha de qualquer maneira.

"Depois não diga que não avisei", finalizou ele.

E se eu tivesse escutado esse cara que é meu amigo, boa gente, boa-praça? E se eu tivesse desistido na primeira negativa? Não teria lançado uma campanha que vendeu 10 milhões de camisetas e arrecadou mais de US$ 50 milhões na década de 1990 para o tratamento e pesquisa do câncer de mama, salvando milhares de vidas e tornando-se um exemplo que a instituição americana Fashion Targets Breast Cancer franqueou em mais de 20 países.

Não acredite nos ditos especialistas, naqueles que têm autoridade para destruir seu sonho. Ninguém tem essa autoridade sobre você, mesmo que tenha autoridade sobre determinada área ou assunto. Corra o risco de errar. Erre. Caia e levante-se pelas próprias pernas, mas não deixe que ninguém o convença de que você não pode levar uma ideia à frente, de que não pode acreditar no seu sonho. Essa é de fato a maior mentira do mundo.

Com a campanha do câncer de mama, aprendi mais uma lição da escola da vida: quando alguém quer convencê-lo a não fazer alguma coisa, usa os maiores argumentos do mundo, faz até curso em Harvard para convencê-lo a não fazer. Tive o privilégio de conhecer, de fazer negócios e ganhar e perder com grandes figuras quase mitológicas do mundo moderno, mas nem mesmo elas seriam capazes de me fazer desistir dos meus sonhos, por mais que fossem autoridades em suas áreas de atuação.

Aprendi muito com pessoas inspiradoras, mas aprendi muito mais com as que tentaram e tentam sistematicamente sabotar as minhas ideias, iniciativas e sonhos. E a essas figuras eu de fato rendo uma homenagem todas as vezes que tenho oportunidade de compartilhar minhas histórias.

Imagine a extensão do desastre que as pessoas do contra podem causar na sua vida. E quero dizer mais uma coisa: você não pode se livrar delas, não há hipótese de se livrar dessas figuras. Certamente você conhece várias. Estão muito mais próximas do que você gostaria que estivessem. Mas elas existem e nasceram para nos incentivar.

A cada Sadim que encontrei na vida, subi um degrau para enxergar meus horizontes mais de cima e mais ao longe, com muito mais acuidade e atenção. Não deixe que os Sadins alcancem o grande objetivo deles, que é destruir o seu sonho. Os Sadins se nutrem da inveja e da vaidade, que são as piores características que um ser humano pode ter.

Se você não está disposto a arriscar o básico
terá que se contentar com o ordinário.

– Jim Rohn

CAPÍTULO 7

CORRA RISCOS

ASSISTA UM VÍDEO DO
RICARDO BELLINO

1. Baixe o App ZAPPAR
2. Aponte para a página

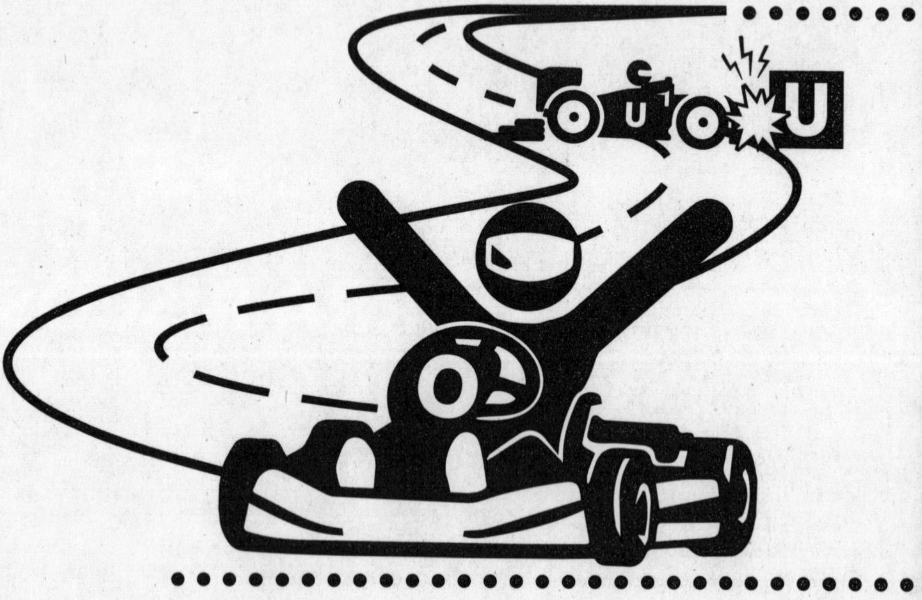

QUANDO O CARA TEM MEDO DE ERRAR, NÃO ARRISCA.
ANDA COM O FREIO DE MÃO PUXADO.

A noção de risco faz com que ele se limite a determinado contexto, para diminuir o erro. Então ele não ousa, não tem coragem e fica paralisado. Um dos erros fatais é a falta de coragem para fracassar. O ser humano não quer fracassar, e isso gera um dilema: "Se eu tentar e errar, vou ficar deprimido, então não vou tentar". Esse círculo vicioso é paralisante, você não consegue se expandir, desenvolver e dar o próximo passo.

A noção do risco, de acreditar que é no erro que você vai aprender, é fundamental. Não adianta causar uma boa primeira impressão e ser uma pessoa sem convicções, sem a autoestima necessária para seguir em frente. É preciso saber que você só vai aprender caindo. E que é no erro que você vai aprender mais. Na minha opinião, esses são os pilares de uma vida de sucesso. Não sou especialista em nada, mas tenho uma visão e consigo reunir pessoas em torno desse movimento, desse sentido de empreender. Eu contrato especialistas. O mundo está cheio de especialistas.

Não preciso ser chefe de cozinha para montar um restaurante. Se eu tiver uma ideia e acreditar que essa ideia pode ser vencedora para montar certo tipo de restaurante, vou achar o melhor cozinheiro do mundo e pagar a ele um salário, o que é muito mais barato do que perder tempo tentando aprender uma coisa que não terei talento para fazer.

Transforme o "não" em "por que não?"

Tendo uma visão do todo, tendo entusiasmo, vontade, atrevimento para romper as portas, os paradigmas e os limites que as pessoas impõem, você será capaz de realizar qualquer sonho nesta vida. Por que não? O "não" você já tem. O desafio é transformar o "não" em "por que não?". Aí você tem uma oportunidade, uma possibilidade, e, dependendo de seu talento, capacidade, autoridade e competência, pode fazer acontecer. É nisso que acredito.

Acredito que este livro é uma oportunidade de compartilhar um pouco de minhas experiências e essa crença. Crença no impossível, na quebra de paradigmas. Quando as pessoas dizem "não", você pode se inibir e ir para casa chorando. Ou pode perguntar "por que não?", e isso muda todo o contexto. Você passa de um *fudido* para um **fodido**.

Pelo menos um "talvez" você consiga. Já é alguma coisa. Para quem tinha um "não", um "talvez" abre a possibilidade de virar o jogo, de criar novos caminhos. Quem acredita pode construir o seu sucesso a partir dessa crença.

Tem uma história que considero muito inspiradora. É a história do tanque de tubarões. Com o aumento da demanda, a indústria pesqueira do Japão foi obrigada a ampliar suas atividades para além da costa. Os navios tinham tanques para manter os peixes vivos até a chegada ao porto. Só que, amontoados em um tanque sem espaço, os peixes não se movimentam e acabam liberando uma toxina que faz com que morram mais rápido. Então a carga chegava estragada ou morta. Os japoneses pensaram: "Sem problemas, vamos colocar gelo no tanque em vez de água, assim os peixes se conservarão frescos por mais tempo". A solução trouxe outro transtorno: depois de alguns dias, os peixes estavam congelados, já não era mais peixe fresco. Então surgiu a ideia de encher o tanque com água outra vez – e colocar uma meia dúzia de tubarões pequenos, o que obrigava os peixes a se manter em movimento para não morrer.

Qual é a moral da história?

Coloque um tubarão no seu tanque! Para que você se mexa e saia da sua zona de conforto. É a única maneira de você transformar ideias e sonhos em realidade.

Esse é meu grande lema de vida: transforme "não" em "por que não?". Não aceite um não como resposta, não deixe que as pessoas destruam seus sonhos, acredite, corra o risco, vá em frente. Sonhos são feitos para se tornar realidade, e nós podemos transformá-los em realidade transformando a nossa realidade.

O ser humano tem tendência à acomodação. Se a pessoa ficar em um tanque simplesmente nadando, sem um tubarão, a possibilidade de ficar apática, de perder a sensibilidade, de perder a vontade de se destacar e ter sucesso é enorme. Por isso acredito que o mais importante é colocar um tubarão no tanque, para estarmos sempre alerta, para transformarmos nossas ideias e iniciativas em grandes sucessos.

Passamos em média 11 anos na escola tradicional e acumulamos uma poupança para viver 60, 70 anos. Só que a expectativa de vida hoje é de mais de 75 anos. Então vamos ter que seguir estudando, continuar nos aprimorando, nos reinventando, porque vamos viver mais. Para garantir a qualidade de vida – para desfrutar da vida – que merecemos, temos que sair da zona de conforto.

Acredite na sua intuição

Intuição é um elemento-chave para qualquer **fodido**. Intuição, faro ou *feeling* é o diferencial que distingue o empresário ou profissional bom ou razoável do brilhante, aquele que acumula um ou outro sucesso de um verdadeiro vencedor. Se somos naturalmente intuitivos, por que algumas pessoas parecem mais intuitivas que outras? Por que algumas se mostram tão hábeis no uso da intuição na vida profissional e pessoal, enquanto outras demonstram o oposto?

Só tenho uma resposta: intuição é uma prática. É algo que se desenvolve, e não necessariamente uma característica genética ou algo parecido. Como qualquer instrumento, a intuição precisa ser afinada. Toda vez que ouvimos um músico tocar um instrumento perfeitamente afinado é porque, antes de subir ao palco, ele se deu ao trabalho de afinar com cuidado. Como se pode afinar a intuição?

O primeiro passo é entender o processo. A pesquisadora Nalini Ambady, da Universidade de Tufts, fez um experimento que pode ajudar. Ela mostrou vídeos de dois segundos de professores em sala de aula e pediu que o desempenho deles fosse avaliado por pessoas que nunca os viram antes – as avaliações coincidiram com as de alunos que já haviam estudado com tais professores. Em um experimento posterior, Nalini repetiu o procedimento, com uma diferença: antes da avaliação, um grupo assistiu a uma cena cômica, enquanto outro assistiu a uma cena dramática. O experimento mostrou que o grupo induzido a um estado de espírito descontraído após assistir à comédia foi capaz de avaliar os professores com mais precisão do que o grupo induzido a um estado melancólico após assistir ao drama.

Nalini acredita que as pessoas de ambos os grupos provavelmente chegaram às mesmas conclusões iniciais a respeito dos professores. Contudo, as que estavam mais melancólicas começaram a duvidar de si e de seus instintos e acabaram abandonando a primeira impressão intuitiva, o que tornou suas avaliações menos precisas e, em alguns casos, até incorretas quando comparadas ao *feedback* dos alunos que conheciam os professores. Pode-se inferir daí uma importante ligação entre autoestima e intuição. Quanto mais baixa a autoestima, maior a tendência de duvidar de si e, por conseguinte, de sua intuição.

Contudo, uma postura radicalmente oposta também surte efeitos negativos. Se uma pessoa se tem em tão alta conta a ponto de se considerar sempre perfeita e infalível, essa autoimagem distorcida poderá distorcer também sua forma de lidar com a intuição. Em vez de ouvir, alguém assim tentará manipular a intuição toda vez que ela contrariar seus desejos ou intenções. Essa pessoa não estará seguindo sua intuição: estará seguindo seus caprichos e vontades.

Afinar a intuição exige a postura equilibrada de não se deixar minar pela baixa autoestima, nem se deixar cegar por uma autoimagem arrogante e fantasiosa. É claro que não é fácil chegar a esse equilíbrio – e eu estaria mentindo se dissesse que existe alguma fórmula mágica. A autoestima, tanto ausente quanto excessiva, está ligada à história de vida de cada um, e mexer com isso implica mergulhar em um processo de autoconhecimento, o que envolve nossas motivações conscientes e inconscientes. Em outras palavras, é possível direcionar pelo menos parte dessa poderosa força para, por exemplo, atingirmos nossos objetivos e metas.

Alguns traços e tendências inconscientes podem ser vistos como hábitos aprendidos com a prática. Logo, quanto mais exercitarmos a intuição, mais intuitivos seremos. E, é lógico, quanto mais transformarmos em hábitos ações e comportamentos que favoreçam nosso êxito pessoal e profissional, mais esses hábitos serão incorporados pelo inconsciente, potencializando nossas chances de sucesso. Você tem as características do intuitivo? O psiquiatra suíço Carl Gustav Jung define a pessoa intuitiva como aquela que:

- Observa tudo de modo holístico.
- Confia em seus pressentimentos.
- É consciente do futuro.
- É imaginativa.
- É visionária.

Se transportarmos essas características para o mundo dos negócios, encontraremos o perfil detalhado de pessoas bem-sucedidas em suas carreiras, as verdadeiras fodonas.

Observar tudo de modo holístico é ver o mundo com a mente aberta, percebendo como diferentes aspectos se relacionam para formar o todo. Para chegar a isso, é imprescindível manter os cinco sentidos aguçados, pois são o filtro por meio do qual recebemos todas as informações externas. Se o filtro não estiver funcionando a contento, corremos o risco de receber informações limitadas, distorcidas ou equivocadas e, o que é pior, de formar opiniões e tomar decisões com base nessas informações – exatamente o oposto do que uma pessoa intuitiva faz.

Em meu livro *Sopa de Pedra: Dez ingredientes para você criar sua receita de sucesso,* digo, a esse respeito: "Vivemos num mundo em que o tempo é cronometrado pelo relógio, em que a correria e a agitação fazem parte do dia a dia, em que os negócios, o trabalho e os compromissos nos absorvem o tempo todo. Nessa rotina exaustiva, os cinco sentidos vão ficando cada vez mais embotados e, pior ainda, quase não percebemos isso. Quantas vezes olhamos sem ver, tocamos sem sentir, comemos sem perceber, ouvimos sem escutar e nem ao menos nos lembramos de que temos um olfato?". Os cinco sentidos são nossas portas e janelas para o mundo, e não há como observar tudo de modo holístico se os vidros das janelas estiverem sujos, e as portas, travadas. Citando novamente meu livro: "Quanto mais os cinco sentidos forem usados de forma correta, mais afinados ficarão. Quanto mais afinados ficarem, mais aguçada será a intuição. Eu diria mais: o que muitos chamam de 'sexto sentido' é, na verdade, uma intuição apurada, alimentada pelas informações que chegam por meio dos cinco sentidos plenamente desenvolvidos e abertos".

A segunda e a terceira características inter-relacionam-se de forma muito interessante: uma propõe o alcance e os limites da outra. Dizer que a pessoa intuitiva confia em seus pressentimentos equivale a afirmar que ela tem suficiente autoestima para acreditar em si e em sua voz. Mas como garantir que essa autoestima não se transforme na arrogância de alguém que não tem autocrítica? A resposta está na próxima característica do intuitivo, ser consciente do futuro. Trata-se não apenas de antecipar o futuro, mas também de ter consciência de que ele é moldado pela consequência de suas ações. Ou seja, a autoestima do intuitivo é pautada pelo equilíbrio e pela noção de responsabilidade.

As duas características seguintes também se complementam. O intuitivo é imaginativo, pois, ao ouvir a voz interior, ganha acesso à fonte de sua criatividade. Isto é, quem consegue canalizar e direcionar sua imaginação se transforma facilmente em uma pessoa de visão.

Ainda que eu possa fazer uma lista de fatores que contribuíram para meus projetos darem certo, a verdade é que nenhum deles teria me levado a lugar algum se, antes de tudo, eu não tivesse confiado na minha intuição. Para apurar a intuição, é preciso abrir o caminho, a fim de que ela possa fluir livremente. Isso não envolve nenhum tipo de técnica sobrenatural, muito pelo contrário: é questão de observar o cotidiano e adotar algumas medidas concretas para remover os obstáculos que dificultam ou impedem o fluxo da intuição. Aqui vão quatro dicas para ajudar na tarefa:

1. **TENHA CLAREZA DE OBJETIVOS**

    Às vezes o que achamos que queremos não é o que realmente queremos. O descompasso pode fazer com que a mente consciente trabalhe para uma finalidade, enquanto o inconsciente trabalha para outra. Um exemplo típico é aquela pessoa que se convence racionalmente a permanecer em um emprego quando no fundo odeia o que faz e se sente infeliz no trabalho. Conscientemente, ela quer manter o emprego. Inconscientemente, porém, não vê a hora de largar tudo e, sem perceber, acaba criando situações que a levarão a ser demitida. É uma atitude típica de um *fudido*. A única forma de alinhar essas forças e fazê-las agir a seu favor é ser honesto consigo em relação aos verdadeiros desejos, necessidades e metas.

2. **APRENDA A RELAXAR**

    Conforme já foi dito, é preciso parar de vez em quando para poder ouvir a intuição. Práticas meditativas ajudam, mas quem não se sente inclinado a isso pode, pelo menos, aprender a soltar-se e relaxar. Reserve um tempo para si, dedique-se a seus *hobbies* e interesses pessoais, respeite suas necessidades; assim, estará dando mais espaço para sua voz interior se manifestar.

3. **ALIMENTE SUA INTUIÇÃO**

    O matemático francês Henri Poincaré disse certa vez: "A inspiração só vem para a mente preparada". Uma forma de preparar a mente é alimentando-a com informações. Bill Gates é uma pessoa que valoriza o poder da intuição, não deixa nada ao acaso. O fundador da Microsoft sabe que uma ideia brilhante pode nascer em qualquer lugar, desde que você a procure em todos os lugares. Em uma palestra para a Newspaper Association of America, Gates comentou: "Leio um monte de material impresso. Leio a *Economist* de ponta a ponta. Leio o *Journal*, não todos os artigos, mas um monte deles a cada dia. Leio o jornal dominical local, o *New York Times*. Leio a maioria das revistas de negócios. Leio ciência, a *Scientific American*. No trabalho, leio um monte de jornais especializados. Só recebo quatro jornais especializados em casa, mas recebo cerca de seis no escritório" – isso sem mencionar livros, leituras *on-line* e outras fontes de informação.

4. CULTIVE RELACIONAMENTOS

Por que algumas pessoas conseguem fazer avaliações precisas de alguém que acabaram de conhecer, enquanto outras fazem avaliações imprecisas? Por serem mais intuitivas? Não necessariamente. Seria mais correto afirmar que são mais propensas a fazer avaliações instintivas acuradas porque se dedicam a cultivar relacionamentos. O contato, a interação e o interesse as tornam mais experientes e sensíveis no trato com outros seres humanos, o que estimula a intuição na hora de formar a impressão inicial de um recém-conhecido. Conforme explica David Funder, professor de psicologia da Universidade da Califórnia: "Um bom juiz de caráter não é alguém mais esperto; é alguém que passa mais tempo relacionando-se com pessoas".

Não é a mais forte das espécies que sobrevive,
nem a mais inteligente, mas a que melhor
responde às mudanças.

– Charles Darwin

CAPÍTULO 8

SE VOCÊ ACHA QUE VAI DAR ERRADO, MUDE O RUMO

ASSISTA UM VÍDEO DO RICARDO BELLINO

1. Baixe o App ZAPPAR
2. Aponte para a página

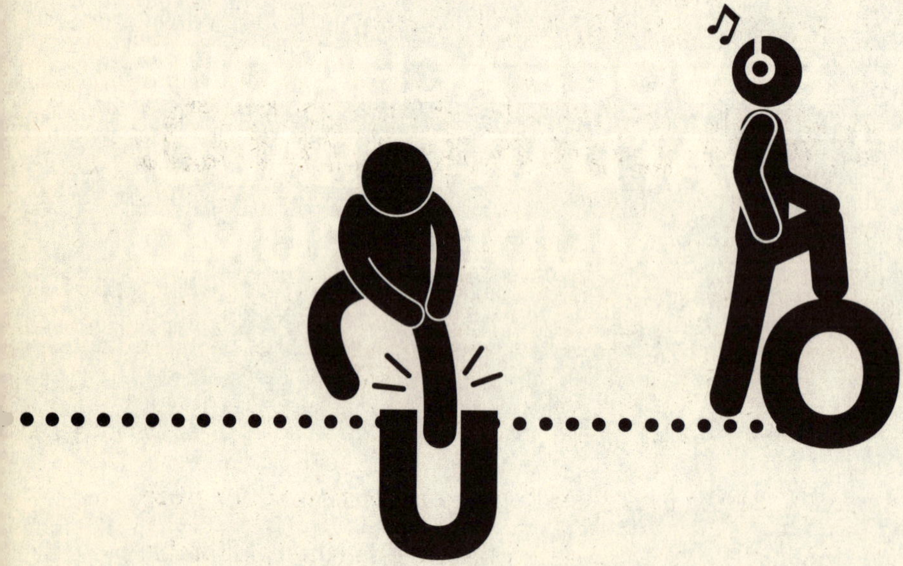

AS PESSOAS NÃO ESTÃO PREPARADAS PARA DAR CERTO.
ESTÃO PREPARADAS PARA ACEITAR QUE DERAM ERRADO.

Estar pronto para dar certo é muito mais complexo do que parece. Porque, quando uma ideia dá certo, meu amigo, tem um trabalhão pela frente. Se você já está em dúvida se sua ideia é boa ou ruim, há grandes chances de que seja ruim mesmo. Então, você precisa ter certeza de que sua ideia é fantástica. Porque, se a sua ideia for ruim, não adianta. Pode ser amigo de Donald Trump, mas ele vai dizer: "Olha, gosto muito de você. Está convidado para almoçar na minha casa, mas sua ideia é horrível".

A ideia precisa ser disruptiva. Se a sua ideia é extraordinária, as chances são muito maiores. Em segundo lugar, é preciso ter coragem de apresentar a ideia sabendo que você pode obter um "não" como resposta – já falamos disso aqui. Acredito que, no momento em que você tem uma ideia extraordinária e tem a postura necessária, você tem por onde começar.

Ninguém quer ser cliente, todo mundo quer ser parceiro, todo mundo quer ganhar junto. Esse é o discurso que todo mundo quer ouvir. O cara não quer ouvir que você quer bater a carteira dele, tirar um cheque dele. Especialmente em um momento de crise, quando todo mundo está demitindo, cortando custos. A pessoa quer ouvir a resposta para a seguinte pergunta: "Como é que, trazendo a sua ideia para o meu contexto, nós podemos ganhar juntos?". Essa conversa soa como música nos ouvidos das pessoas. É o que todos querem ouvir. Se a sua ideia é muito boa e se a sua postura não é de *fudido*, pode ser que dê certo. Acredito em postura e atitude, obviamente baseadas em uma superideia. Se você não tiver essa ideia, meu amigo, volte para casa e continue pensando até achar uma.

A capacidade, a dinâmica de pensar de forma serial e desenvolver coisas a partir da crença de que "eu posso" é a alma deste livro. Isso é deixar de ser *fudido*! Mantenho a motivação em tudo o que acredito ou quero porque aceito o princípio de que aprendo errando. Então não importa se vai realmente funcionar no fim. Não admito me arrepender por não ter tentado. Esta é a minha convicção, a minha visão de mundo, é nisto que acredito: a gente tem que se expor, tem que correr risco, porque o risco é inerente ao ensinamento, ao aprendizado que se tem todos os dias. Meu desafio é transformar possibilidade em probabilidade. É esse o grande jogo da minha vida.

As ideias nascem com enormes possibilidades de dar errado, haja vista as estatísticas de mortalidade das empresas, haja vista quantos business plans são deletados ou colocados em uma pasta no computador sem nunca sair do papel. Falta o quê? Falta convicção, perseverança. Se estou neste mundo, tenho que me provar capaz de crescer e de desenvolver relações, negócios, sustentar minha família e criar prosperidade. Sou um cara motivado por esses desafios. É isso que me apaixona.

Você pode, sim, se acreditar que pode. Você pode qualquer coisa. Porque a maior mentira do mundo é que você, por não ter dinheiro, diploma, amigos importantes, não pode se dar o direito de sonhar. Se você acredita nisso, infelizmente coloca a vida dentro de uma caixa e está fadado à mediocridade e a viver de lamentações e de desculpas para justificar por que não fez as coisas. Isso é ser *fudido*. Acho que temos que usar nossa energia para contar as histórias do que pelo menos tentamos fazer. E as histórias de tudo que aprendemos ao longo do caminho, porque o caminho é muito mais divertido do que a reta final. É o que você aprende no caminho, como vê a paisagem, os problemas, as pessoas que conhece, os relacionamentos que cria, os tombos que leva.

Uma criança só aprende a andar porque cai. Cai, levanta, cai, levanta, cai, levanta. A gente esquece isso, acha que cair não é bom. Cair é bom! Porque ajuda, reforça as convicções, aprimora a sensibilidade. O sucesso muitas vezes cria uma espécie de arrogância, então há momentos em que você precisa rever isso. Mudar o rumo é saudável.

Vou contar uma história de como me reinventei em um novo projeto a partir de um episódio absolutamente corriqueiro. Um querido amigo chamado Roberto Kasinski, filho do grande empreendedor brasileiro Abraham Kasinski, fundador e presidente da fábrica de autopeças Cofap, vive em Miami há muitos anos. Um dia vem à minha casa e diz: "Tenho um presente para você". Era uma garrafa de óleo de oliva italiano da marca Bellino. Achei engraçado, deixei o azeite exposto na cozinha, contei para os meus amigos. Aí tive um estalo: quem sabe um dia encontro esse e outros produtos Bellino na prateleira do supermercado? Por que não transformar essa marca, esse produto, ativar e criar uma franquia de restaurantes nos Estados Unidos?

Bom, daí descobri que o azeite Bellino faz parte de um grupo que é o maior importador e distribuidor de produtos italianos nos Estados Unidos há mais de 50 anos. Seis marcas. A marca principal, com mais de 900 itens, é a Bellino. Consegui o *e-mail* do presidente da empresa de capital fechado, um ítalo-americano.

Ao me preparar para a reunião, descobri que no norte da Itália, na divisa com a França, existe um vilarejo chamado Bellino, com 115 habitantes, que parece saído de uma prancheta da Disney. Marquei uma audiência com o prefeito de Bellino, eleito por 70 votos. E montei um conceito.

Você está pensando que criei uma rede de supermercados, ganhei milhões? Ou que fiquei sócio do cara da marca e também ganhei muito? Pois bem, não foi assim. No fim das contas, juntando os dois contatos, criei uma escola de chefs para dar oportunidade às pessoas daquela região. Comecei um novo projeto do zero com a mesma energia, paixão e engajamento que tinha na adolescência.

Viu como a primeira ideia não deu certo? Mesmo assim, do limão fiz uma limonada. Tudo bem mudar a rota às vezes. Isso é adaptação, mudança de rota, mas o objetivo continua. A atitude é o que importa. Consegui chegar ao meu objetivo, realizei o projeto, mesmo tendo que mudar a ideia inicial.

O plano B de hoje pode ser o plano A de amanhã

Erro e fracasso são inerentes e fundamentais na busca do acerto. Vou ser muito sincero. É engraçado, mas sou um sujeito que convive bem com a instabilidade. Gosto das oscilações. Sou simpatizante da filosofia budista. Já tive oportunidade de fazer um sesshin, ou retiro, em um belíssimo mosteiro zen no Morro da Vargem, em Vitória, Espírito Santo. Daiju Bitti, o abade do mosteiro, sempre fala: a natureza humana é a impermanência. Eu gosto da impermanência dentro dos limites da, digamos, saúde psicológica.

Não me considero bipolar nem portador de algum distúrbio psicológico. Muito pelo contrário, acho que sou um cara bastante equilibrado e por isso consigo gerenciar as oscilações. O caos não me intimida. O caos em que a gente vive, em menor ou maior dimensão, não me desencoraja. Na verdade, eu gosto. O desafio me alimenta.

Se tenho um problema, um momento de escuridão, sei que é passageiro. Posso sofrer – o sofrimento é inerente ao ser humano. Não consigo viver em estado de felicidade permanente. Vou atravessar momentos de infelicidade e aproveitar minha alegria e minha felicidade como uma conquista em cada estágio, em cada momento.

Agora estou vivendo um momento de plena alegria porque realmente entendi que tenho um propósito na vida. Esse propósito é influenciar pessoas, compartilhar uma visão de mundo, ajudar as pessoas a acreditarem nos sonhos delas. Isso é um compromisso e um propósito de vida. Não é só um negócio.

Hoje tenho um novo empreendimento com um novo sócio, uma figura pela qual tenho enorme admiração, respeito e carinho. É Janguiê Diniz, um empreendedor extraordinário, que construiu um dos maiores grupos de educação do Brasil, o

Ser Educacional. Estamos dando vida à Escola da Vida. Vamos levar uma mensagem juntos, quase como missionários da transformação pessoal. Vamos evangelizar as pessoas, no bom sentido, para que entendam e incorporem, interiorizem esse novo hábito de vida, com o qual se tornam mais proativas, decididas e assumem o controle.

Gastamos horas e dias em cuidados com o físico, a pele, o cabelo, a estética. Mas nunca cuidamos da saúde emocional. E aí o que acontece? Você fica doente, porque, como nunca cuidou de um problema – uma pequena patologia –, quando a coisa se torna um problema grave você tem que ir para o tratamento de choque. Tem que ir para os remédios, e aí não tem mais cura. A velha história de matar um leão por dia é real: mate um leão por dia ou ele ficará grande e engolirá você. Não deixe para amanhã um problema pequeno que pode ser resolvido rapidamente hoje. Porque esse amanhã nunca é amanhã de fato. Vai levar um tempo. E nesse tempo o leão cresce. E come você.

Quero propor um desafio. É o seguinte: todo mundo hoje precisa de um plano B. Precisa se reinventar, se olhar no espelho. Quem sou, aonde quero chegar, o que preciso fazer de diferente? Então, o exercício é fazer um vídeo de três minutos e contar por que você precisa de um plano B e entender qual é esse plano B. Mande para si mesmo e arquive.

Como diz o Pequeno Príncipe, "você é responsável por aquele que cativa". De certa maneira, me sinto comprometido e responsável por fazer tanta gente sonhar com a minha provocação. E tenho algo a dizer a você, caso não possa agir de imediato por questão de dinheiro ou pelo momento de vida. Não tem problema. Entendo que muitas vezes pode haver uma restrição financeira temporária. Eu chamo dessa maneira. Mas isso não pode ser motivo para matar seu sonho. Preciso que você acredite que em algum momento pode ser que seu plano A não exista mais, e o plano B vai virar plano A. E se amanhã o plano B também não funcionar, vai ter que ter um plano C, ou o abecedário inteiro. Você tem que acreditar nisso.

A questão não é se o plano A, B, C, D, X deu certo ou errado. Desde que você faça o seu melhor, não tem problema se deu certo ou errado. O que interessa é ter plena certeza de que você entregou tudo o que podia, que foi ao limite. É como aquele time que perde, mas sai satisfeito porque sabe que fez o melhor que podia em campo. Se eu entrar em uma competição de plano de negócios, não fizer nada direito e ainda assim ganhar, não verei valor na conquista. Agora, se eu entrar com tudo e ainda assim não ganhar, verei um valor gigante. Obviamente, não entrar é a única maneira de você ter certeza de que não vai ganhar. Essa é a atitude do *fudido*. Não seja esse cara.

CONCLUSÃO

FODIDO

FODA.

Vamos terminar como começamos: com um palavrão. E o único motivo para isso é representar, de maneira gráfica e oral (repita em voz alta aí o palavrão, por favor), a sua nova atitude. Espero que lendo o livro você tenha mudado. Esse é o objetivo deste livro, do meu trabalho, das minhas palestras e, por que não, da minha vida.

Por falar nisso, já cometi diversos erros em minha vida, assim como todo ser humano. Porém, ao contrário de muitos, não me preocupo em escondê-los. Em meus livros anteriores e em minhas palestras, conto em detalhes vários de meus erros: iniciativas que não foram adiante, avaliações equivocadas de situações e pessoas, ideias que não decolaram. O motivo pelo qual não os escondo é que não me envergonho deles. Me envergonharia, isso sim, se não tivesse tentado por causa do medo de errar. As lições que aprendi com meus erros foram e são inestimáveis.

É a experiência que você adquire tentando e errando que pavimenta o caminho para o sucesso duradouro. Quem chega ao sucesso sem nunca ter cometido um erro na vida – se é que isso é possível – não tem bagagem suficiente para lidar com os reveses e contratempos que cedo ou tarde virão. Por não ter aprendido com os pequenos erros da vida, vai acabar errando quando não pode e com quem não deve. O estudante de medicina pode cometer diversos erros durante uma aula de anatomia. Mas o cirurgião não pode errar durante uma operação.

O milionário norte-americano Malcolm Forbes, dono da célebre revista de economia que leva seu sobrenome, escreveu certa vez em sua coluna que "um ingrediente vital para o sucesso sustentado é o fracasso ocasional". Segundo ele, "não há nada tão essencial quanto um erro inequívoco de certa magnitude para restaurar a perspectiva necessária a fim de assegurar o sucesso duradouro". Forbes conclui o artigo dizendo: "Um mandachuva que nunca tenha cometido um erro crasso – em sua opinião isolada – está na mesma desvantajosa posição que a galinha que nunca botou um ovo e está prestes a ir para a panela". Portanto, se tivesse de acrescentar mais alguma coisa a tudo o que já disse sobre como não ser um *fudido*, eu diria: aprenda com seus erros e construa sua bagagem de conhecimentos, seu banco de dados interno que alimentará tanto seu inconsciente quanto sua mente consciente e que virá em seu auxílio sempre que você precisar.

Volta e meia lemos nos jornais notícias do tipo "pesquisa indica que mais da metade das novas empresas fecha antes de completar dois anos". E lá vêm longas listas de causas e efeitos, que vão da crise econômica à falta de planejamento do empresário.

Porém, o que essas pesquisas não costumam divulgar é o que esses empresários aprenderam com seus erros. Ou quantas vezes os empresários bem-sucedidos passaram por fracassos e falências antes de acertar. Ou o quanto os fracassos e falências os ajudaram a acertar. Muita gente se assusta ao ler informações sobre a porcentagem de pessoas cujos negócios não deram certo. Mas não seria muito pior se essa porcentagem se referisse àqueles que foram para o fundo do poço sem tentar coisa alguma?

Levantei várias perguntas ao longo do texto. Como alguém pode se tornar um **fodido**? Só quem tem talento para isso vai chegar lá? É preciso nascer com um chip ou uma pré-programação para não ser um *fudido*? Ou é uma loteria e todos os que conseguiram chegaram lá por sorte? A conclusão encontrada por mim e por você, leitor, com certeza é uma só:

> A atitude frente às situações da vida
> determina quem você é.

Espero que você tenha mudado o *mindset* (mentalidade) das suas atitudes. Gente que começou do zero ou com pouquíssimos recursos não tinha nada além de sua crença somada a uma vontade avassaladora de fazer algo acontecer. Isso é um *mindset* vencedor. E os resultados surpreendentes não vieram da noite para o dia, nem na primeira tentativa. (Mesmo que, em alguns casos, com a atitude certa, possam aparecer muito mais rápido do que esperamos. Pudemos comprovar esse fato em algumas das minhas histórias.) Seja resiliente como uma mola e ágil como um tubarão.

Para fazer um resumo bem prático de tudo que você aprendeu aqui, vamos destacar alguns assuntos:

- **ACREDITE**: nada é impossível, você é capaz. A vida é foda, mas você é mais!
- **TENHA AMIGOS**: alimente seus contatos, seja agradável sem ser forçado. Lembre-se de que gente foda sempre terá gente foda por perto.
- **REINVENTE-SE**: resista, persista, insista. Esse é o seu *mindset*, a sua postura diante de qualquer que seja o problema. Um **fodido** não para no primeiro problema. Nem no milésimo!

Agora você sabe o que significa ter sangue nos olhos. A diferença está em colocar isso em prática dia após dia, enfrentando desafios com uma nova visão. Posso garantir uma coisa: as dificuldades não têm preconceito. Não escolhem pobre ou rico, não importa se você tem pouco estudo ou um monte de diplomas na parede, elas vêm para todos.

Mas, assim como as dificuldades, a fé em si mesmo e a capacidade de se construir sozinho valem para todos. Todo mundo pode evoluir continuamente. Todas as pessoas bem-sucedidas têm uma coisa em comum: assumem o compromisso consigo mesmas para valer. Esse processo não é mágico. Não é preciso nenhum poder sobrenatural para conseguir. Tudo está mais relacionado à persistência do que a milagre.

Fodão, sonhe grande, sempre com os dois pés na realidade, mas fazendo acontecer todo dia. Realize uma mudança mesmo que pequena hoje e crie esse hábito. Você vai ficar viciado no gosto do sucesso logo na primeira meta alcançada, vai comprovar que é possível e então partirá para a próxima mais confiante. Em um, cinco, ou dez anos, terá feito grandes mudanças na sua vida. E vai ser foda!

CITADEL
Grupo Editorial

Livros para mudar o mundo. O seu mundo.

Para conhecer os nossos próximos lançamentos
e títulos disponíveis, acesse:

🌐 www.**citadeleditora**.com.br

ⓕ /**citadeleditora**

📷 @**citadeleditora**

🐦 @**citadeleditora**

▶ Citadel - Grupo Editorial

Para mais informações ou dúvidas sobre a obra,
entre em contato conosco pelo e-mail:

✉ contato@**citadeleditora**.com.br